ZAWSZE NIE MA NIGDY

NIGDY **JERZY PILCH**

PILCH

W ROZMOWACH Z EWELINĄ PIETROWIAK

Wydawnictwo Literackie

TRZYDZIEŚCI DZIEWIĘĆ ZAOSTRZONYCH OŁÓWKÓW

Biurko w mieszkaniu
na Hożej w Warszawie.

Siedzimy w pokoju, który jest twoim salonem, biblioteką i gabinetem. Dwie ściany od podłogi do sufitu zajmują książki. Od kiedy tak namiętnie je zbierasz?

Mój ojciec miał bibliotekę zajmującą jedną całą ścianę, on, być może bezwiednie, rozbudził we mnie miłość do książek. Kiedyś oświadczył mi, że jeśli będę miał ochotę na jakąkolwiek książkę, to on, choćby miał pożyczyć, zdobędzie kasę. Robin Hood nie miał wtedy konkurencji w telewizji czy grze komputerowej, świetne powieści Juliusza Verne'a czy Edmunda Niziurskiego zapadły we mnie i już nie miną. Ojciec miał między innymi książki naukowe, ja miałem swój rozrastający się dział literatury przygodowej, obszerny był też zbiór literatury współczesnej: Kafka, Broch, Amerykanie. Byli też klasycy: Adam Mickiewicz, Juliusz Słowacki. Ale najwięcej miejsca pod powałą zajmowały dzieła zebrane Ignacego Sewera Maciejowskiego. Mówi ci coś to nazwisko?

A ja wychowywałem się w cieniu dzieł zebranych Ignacego Sewera! To prozaik młodopolski, o którym dziś ani be, ani me, ani kukuryku. Pisał historie z życia ludu wzięte. Jego popularność brała się z artystostwa skrzyżowanego z erotyzmem, wyraźnie zmierzającym w kierunku pornografii, tak jak ją ówcześnie pojmowano. Wiem, bo w końcu sprawdziłem. Dwanaście tomów powieści i opowiadań o takiej treści na przykład: namawianie dorodnej dziewuchy spod Bronowic do pozowania malarzowi, to znaczy do tego, żeby się rozebrała. Nawiasem mówiąc, dzieła zebrane Sewera zaczęły się ukazywać za jego życia – taki fakt ma jednak wagę wieka trumiennego…

Dziś wciąż, mimo że zaczyna brakować miejsca, coś kupuję. Sprzed przeszło czterdziestu lat utkwił mi w głowie fragment tekstu Stanisława Barańczaka: „Ciasno: mniejsza już o metraż, ale w pokoju rozpanoszyły się książki, otaczają mnie regałami z obu stron, tkwią milcząco za plecami, nawet na biurku zalega od miesięcy zwał drukowanego papieru, którego nie mam czasu przejrzeć".

Pamiętam wątek ciasnych mieszkań i regałów, czy własnym sumptem zrobionych, czy przez stolarza. Krytyk literacki Tomasz Burek na przykład jako wspornika pod deski użył niezwykle wytrzymałych butelek po winie. Ci, którzy widzieli, mówili, że to było dobre. Barańczak uchwycił w tekście istotę sprawy, fakt istnienia plemienia pożeraczy książek, kolekcjonerów książek. Półki w bibliotekach są punktem wyjścia, potem książki wychodzą z półek, zajmują parapety, potem idą na podłogę, potem są układane w wieże. W mieszkaniu mojego przyjaciela Mariana Stali jego bracia zrobili przyzwoite regały, na początku wszystko się mieściło. Dziś ci, którzy go odwiedzają, a raczej ci, których wpuszcza, mówią, że z trzech pokoi dwa i pół wypełnione jest kominami z książek sięgającymi aż pod sufit i właściwie chodzisz slalomem, bojąc się, że wszystko zaraz runie. Przy czym sam Marian twierdzi, że wynosi książki i że ich liczba maleje. Ja podejrzewam jedno, jego geniusz wziął się z małpiej pamięci do książek skrzyżowanej ze znajomością dwunastotomowej Wielkiej Encyklopedii Powszechnej, która wychodziła w latach sześćdziesiątych. Moim zdaniem zrobił to, czego ja nie zrobiłem, chociaż bardzo chciałem: przeczytał te dwanaście tomów i w całości je zapamiętał.

Jak się poznaliście?

W liceum wygrałem olimpiadę polonistyczną na poziomie wojewódzkim w Krakowie, to była pierwsza w ogóle jej edycja. Na drugim miejscu był niejaki Jarek Reszczyński, na trzecim – Maja z mojej szkoły. Całą trójką pojechaliśmy na finał do Warszawy. Zobaczyłem tam ponurego, dużego, dziwnego kolegę w za dużym płaszczu, jak się później dowiedziałem, pochodził z Tarnobrzega – był to Marian Stala. Prawdę mówiąc, zastanawialiśmy się, jak taki się tu w ogóle znalazł, wśród elity intelektualnej, najlepszych maturzystów z całej Polski – kolega wcale się nie odzywa, nie wiadomo, czy w ogóle mówi. Brataliśmy się, Kraków z Warszawą. Z ekipy warszawskiej pamiętam –

Z Marianem Stalą, Kraków, połowa lat 90.

w skórzanej kurtce – późniejszego reżysera Pawła Piterę, męża Julii Pitery. Marian Stala zdecydowanie wygrał ten finał, wydymał całą elitę i był wśród nas popłoch. Potem okazało się, że miał jakieś problemy na etapie wojewódzkim w Rzeszowie, gdzie ledwo przeszedł, bo uznano, że jego praca jest tak dobrze napisana, iż w grę musi wchodzić oszustwo. Spotkaliśmy się ponownie na pierwszym roku polonistyki w Krakowie.

Nie było na niego żadnej siły, wiedział zawsze wszystko na każdy temat, a nawet więcej. Jest taki filozof Plotyn, w którego pracach ważny element stanowi koncepcja zasłony oddzielającej coś od czegoś, nie pamiętam. Rozmawialiśmy na zajęciach na przykład o *Lalce* albo innej powieści realistycznej, w której ktoś zaciągał zasłonę, Stala wtedy triumfalnie krzyczał: „Plotyn!". Próbowałem prowadzić pojedynek, byłem dobry, ale on był lepszy. W końcu wymyśliłem na niego taką metodę, że bardzo długo się nie odzywałem. To go dziwiło i stawał się coraz słabszy, a pod koniec zajęć zaczynałem mówić i mówiłem do samego końca, jemu już nie dawali odpowiedzieć. Byliśmy dość popularni. Marian skończył jako sędziwy, bielutki jak gołąbek profesor Uniwersytetu Jagiellońskiego, idący slalomem do łóżka między kolumnami zbudowanymi z książek.

Aha, jak chcesz jakąś książkę, to tu jest odłożony jeden stosik, a na balkonie drugi. Jak widzisz, nastąpiła ostatnio generalna przeróbka mojej biblioteki.

Przez ostatnie dwa tygodnie wstawałem o piątej rano i układałem, bo byłem w manii.

Na polonistyce chodziłem na zajęcia profesora Henryka Markiewicza, wykładowcy czczonego przez studentów, człowieka o ogromnym poczuciu humoru, wielbiciela *Lalki*. Robił wrażenie wszędobylskiego czytelnika, erudyty czytającego w obcych językach, piszącego trudne naukowe teksty z zakresu teorii literatury. On, zdaje się, wprowadził w życie hasło głoszone przez Zbyszka Mentzla: trzeba mieć wszystkie książki. Markiewicz mieszkał w kilkupokojowym mieszkaniu, które całe było wypełnione książkami. Miał wszystko, co było potrzebne do pracy, bo lubił pracować w domu. Na któreś urodziny Instytut Polonistyki zafundował mu grafikę zamówioną u Andrzeja Mleczki, na której było narysowane całe to mieszkanie w regałach, na drabinie profesor Markiewicz, odrobiony dokładnie, z pętlą w ręku, a w drzwiach stoi jego żona i mówi: „Henryku, przeczytałeś już wszystko?".

U Jana Błońskiego na przykład było tak, że wybrał jeden pokój na bibliotekę, regały stały dookoła i na środku, jak w bibliotece publicznej.

Na jakiejś imprezie – to były chyba właśnie imieniny Błońskiego – Andrzej Wajda wziął mnie na bok, rozrysował, o co chodzi w jego pomyśle na nowy spektakl, i zamówił u mnie monodram, z którego potem powstał *Monolog z lisiej jamy*. Koncepcja była dobra, smacznie to wyglądało, tylko niemożliwa, przy mojej wyobraźni, do zrealizowania. Wedle Wajdy miało być tak, że jest na przodzie sceny telewizor ustawiony tyłem do widowni, przed nim w fotelu facet, który gada z telewizorem. Okazało się, że strasznie trudno napisać sześćdziesiąt minut gadania do telewizora, pomysł okazał się trochę wydumany. Prawdziwa rozmowa Polaka z telewizorem to jest: „Spierdalaj, ty ch…! Złodzieje! Popatrz się, Hela. Hela!!! Plankton! Tygrysy w Azji!". No, ale to wystarczy na pięć minut.

Na imieninach Jana Błońskiego cały Kraków bywał – poznałem tam Sławomira Mrożka, Stanisława Lema, Jana Józefa Szczepańskiego, bywali też Henryk Markiewicz i Bronio Maj. Obaj szczycili się tym, że znają na pamięć *Lalkę*. Tu mała dygresja – mówię o tym, bo niedawno ukazał się gdzieś tekst Jasia Polkowskiego, w którym dezawuuje *Lalkę* jako powieść zdradziecką. A jak wiemy, mistrzostwem Prusa jest między innymi to, że nigdzie nie pada jedno rosyjskie słowo; rzecz dzieje się pod zaborem, a jest napisana tak, jakby go nie było.

Markiewicz zadaje nam więc pytania w konkursie na znajomość *Lalki*, na przykład: jak miał na imię pies Rzeckiego? Bronio z pogardą: Ir. A ja na to, że mogę zadać pytanie z mojej działki. Otóż, jak wiadomo, Rzecki po wręczeniu albumu Rossiemu udał się do knajpy, wrócił do domu, wspomniany Ir na niego zaszczekał, a Rzecki do niego: „Milcz, ty przeklęta świnio!". Pytanie brzmi: jakim trunkiem i w jakiej ilości raczył się Rzecki? Bronio wiedział, że piwem, ale nie wiedział, że wypił ich siedem, Markiewicz tego akurat nie pamiętał.

Wracając do bibliotek: matka mojego przyjaciela z ławy szkolnej, Pawła Korombla, kiedyś aktora, obecnie tłumacza, autorka książek dla dzieci Natalia Rolleczek, miała olbrzymią „krakowską" bibliotekę. Ciotką Pawła Korombla była natomiast aktorka Izabela Olszewska. W ramach pewnych zbiegów okoliczności, które tu odnajdujemy, a które czasami rzeczywiście są dość niesamowite, Natalia Rolleczek wynajmowała pokoje studentom, a jednym z nich był Tadeusz Słobodzianek. Ale on jakoś się tam nie wdrożył, jak to Tadziu.

Od kiedy się znacie?

Marian Stala przedstawił mi go na studiach, to mógł być rok 1975. Już wtedy krążyły o Słobodzianku jakieś niesamowite opowieści, już wtedy był dyrektorem kilku imaginacyjnych teatrów, już wtedy miał straszliwą wiedzę o teatrze na każdym poziomie: erudycyjnym, plotkarskim…

Już kilka razy wspomniałeś o Lalce, *wymieniłeś ją też kiedyś jako polską powieść wszech czasów. Dlaczego?*

Bo jest najlepsza: w sensie konstrukcji, objętości, pomysłów oraz postaci pierwszo- i drugoplanowych to jest po prostu świetne. Wchodzisz w ten świat i jesteś elementarnie ciekaw, co będzie dalej. Niesłychana kopalnia cytatów. Jeden z ulubionych cytatów Markiewicza, używanych, gdy miał powiedzieć coś o czyjejś książce, ale złej, przywoływał to, co stary Szlangbaum mówi do Wokulskiego, który kupił za bezcen kamienicę Łęckich i stracił na tym duże pieniądze…

Z Tadeuszem Słobodziankiem w Wigrach, 2002.

„Żebym ja pana nie znał, tobym myślał, że pan robi zły interes; ale że ja pana znam, więc ja sobie myślę, co pan robi… dziwny interes".

Brawo.

To jest też moja ulubiona książka.

To jest coś. Świetnie.

Jak myślisz, w jakim stopniu Prus wiedział, jak dzieło się skończy, gdy zaczynał je pisać? Jest plan czy raczej pójście na żywioł, dokąd poprowadzi wyobraźnia?
To jest też ogólniejsze pytanie, o warsztat pisarza: jak wygląda pisanie tak wielowątkowej powieści?

Plan – może ktoś ma, ale zdecydowana większość go nie ma. Bo co by to znaczyło? Mam plan i potem wypełniam kolejne punkty, jak urzędnik? Nie możesz wiedzieć zbyt ściśle, bo nie dasz rady tego zrobić. Natomiast jest coś takiego jak rozchylanie wyobraźni w miarę pisania, i jej podpowiedzi, dokąd iść. Czasem siada się do krótkiego opowiadania, a kończy się na powieści. W pewien sposób sam jesteś ciekaw, co napiszesz. Masz kilka zdań – dawaj początek, masz pięć stron – ciągnie, żeby napisać dziesięć, masz dziesięć – potem dwadzieścia, dwadzieścia – to może czterdzieści, jak jest czterdzieści, to do setki dobiję. Być może są pisarze piszący według planu, ale to są męczennicy.

Powiedziałeś też, że największym polskim pisarzem jest Adam Mickiewicz.

Tak uważam. To pisarz największej prostoty, nic nie jest fałszywym ozdobnikiem. Rymy są czyste, nie ma żadnej czczej zabawy. *Liryki lozańskie*, o których świetną książkę napisał rzeczony Marian Stala, to

mistrzostwo świata w poezji, a wciąż są proste: jedna
myśl na linijkę, jedno zdanie na dwie linijki.

Samotności! do ciebie biegnę jak do wody
   Z codziennych życia upałów;
Z jakąż rozkoszą padam w jasne, czyste chłody
   Twych niezgłębionych kryształów.

Nurzam się i wybijam w myślach nad myślami,
   Igram z nimi jak z falami:
Aż ostygły, znużony, złożę moje zwłoki –
   Choć na chwilę – w sen głęboki.

Tyś mój żywioł: ach, za coż te jasnych wód szyby
   Studzą mi serce, zmysły zaciemniają mrokiem,
I za coż znowu muszę, na kształt ptaka-ryby,
   Wyrywać się w powietrze słońca szukać okiem?

I bez oddechu w górze, bez ciepła na dole,
   Równie jestem wygnańcem w oboim żywiole.

Masz na półkach wiele książek filozoficznych. Wciąż dręczą cię fundamentalne pytania?

Coraz mniej. Czytuję filozofię raczej jako rodzaj bele-
trystyki. Utworzyłem dział rosyjsko-prawosławny, bo
trochę się ostatnio uzbierało. A odpowiedzi na fundamentalne pytania nie ma. Nie ma takich, które by
rozstrzygnęły sekret życia.

Po to tysiące filozofów kombinują i szukają, żeby ostatecznie nie odpowiedzieć?

Chyba tak. Odpowiedź jeszcze nie padła. Gdyby padła, wszyscy bylibyśmy uspokojeni, albo raczej skarcili-
byśmy autora, że popsuł nam zabawę.

Świat zmierza ku jednemu – że się rozleci, co jest wyliczone.

Myślisz, że istnieje jakiś duch dziejów? Prąd, z którym płyniemy?

W ducha dziejów uwierzyli komuniści, przekonani, że w jakiś sposób uszczęśliwią ludzkość. Wyciągnęli ostateczne wnioski z tego, że jest tylko materia. Twierdzili, że nie ma ducha, a jeśli jest, to właśnie tylko duch dziejów – i wyszła z tego makabra.

Mam przed sobą twój debiut, zbiór opowiadań *Wyznania twórcy pokątnej literatury erotycznej*. W pierwszym opowiadaniu, zatytułowanym *Kraków*, czytam: „Miałem trzydzieści lat i nadal nie wiedziałem, z czego czerpać tworzywo: z niewyraźnych snów, z niepozbieranych myśli czy też może z własnego ciała, które osiągnęło fizjologiczną nieomylność". Od czasu napisania tego zdania wydałeś około dwudziestu książek. Z czego czerpiesz tworzywo?

Opowiadanie, którego fragment przeczytałaś, jest dla mnie kluczowe. Notabene ten tekst zrobił swego czasu wrażenie na moim przyjacielu Zbyszku Mentzlu. I jeśli ja mogę powiedzieć, że go rozumiem, to tak mówię, bo w opowiadaniu jest zapisana ochota na pisanie w czasie, gdy ma się różne apetyty literackie, ale w gruncie rzeczy nie bardzo wiadomo, co się będzie dalej robić. Czy mam napisać powieść realistyczną z życia moich dziadków, czy krótką powieść z własnego życia erotycznego? – te różne warianty, oczywiście wyszlifowane stylistycznie, są w opowiadaniach. Zbyszek to uchwycił, teraz ty cytujesz, co dowodzi, że zapis tych rozterek przekonuje. Ten tom opowiadań pisałem długo, bo pierwszą książkę pisze się długo – człowiek ma ciągle poczucie niepewności, co jest błogosławionym stanem dla konsumenta literatury, bo wtedy rzeczy twoje a nienapisane przebijają wszystko, co do tej pory istniało w literaturze. Przez to, że są nienapisane, są doskonałe. Stąd agresja niektórych czytelników podczas spotkań autorskich i agresja młodych ludzi w ogóle, którzy atakują uznanych pisarzy, bo wyobrażają sobie, że będą zaczynać tam, gdzie ci pisarze kończą. W obliczu tego, co nienapisane, rzeczy napisane zawsze blednę. Tkwienie w stanie niespełnienia i niewypowiedzenia samego siebie jest wygodniejsze. Dlatego pierwszą książkę pisze się na ogół dłużej niż wszystkie pozostałe. *Wyznania...* pisałem powoli, nie byłem zdecydowany, nie miało to tylu stron, ile powinno, chociaż późniejsze wydania, na przykład to wuelowskie, świadczą, że była to jednak książka przyzwoitej grubości. Pisałem powoli, pełen różnorakich wątpliwości, aż wreszcie napisałem.

Kraków z tego tomu jest w pewnym sensie tekstem programowym, poza, nazwijmy to, wątkiem szyderczym, mianowicie: „Nastał rok 1980, ja zaś nadal nie byłem pisarzem". Rok 1980 wydawał mi się wtedy jednym z szeregu bezbarwnych lat, jakie przyjdzie mi spędzić w systemie, a tymczasem był to rok, który okazał się wstrząsającym początkiem wolności.

Jest tam też opowiadanie *Indyk Beltsville*, które zapowiada wątek wiślańsko-ewangelicki. Lubię to opowiadanie i może lepiej byłoby dać tomowi tytuł „Indyk Beltsville i inne opowiadania". Tytuł *Wyznania twórcy pokątnej literatury erotycznej* jest trochę za długi, ale chyba słowo „erotyczne" było mocnym wehikułem, jeśli idzie o wydawnictwo emigracyjne, bo książka wyszła w Londynie.

To w pewnym sensie zmyłka. Słowo „erotyczne" sugeruje pamiętniki pisarza gatunku soft porno.

Po pierwsze, jest to tytuł jednego z opowiadań, po drugie, sama długość i rozległość tego tytułu sugerowała ironię. Po trzecie, bardzo często w zbiorach opowiadań cała książka nosi tytuł jednego z nich plus „inne opowiadania".

Jest też opowiadanie *Towarzysz bez wyrazu* o pewnym ładunku doraźności politycznej, związane raczej z moją twórczością felietonową. Jest *Epoka handlu wymiennego*, którą napisałem grubo wcześniej, na pewno przed rokiem osiemdziesiątym. O ile Zbyszek Mentzel był przywiązany do *Krakowa*, o tyle Marian Stala był przywiązany właśnie do *Epoki handlu wymiennego*.

Marian Stala pojawia się chyba we wszystkich rozdziałach.

Marian jest wszędzie.

Azjatyckie trawy i *Wieczny odpoczynek* sąsiadują z *Towarzyszem bez wyrazu*, jest tu imaginacyjne tło podróży Jaruzelskiego do zakładów pracy. Pisząc całą książkę, mogłem dawać do zrozumienia, że nie wiem, o czym będę pisał, i że jestem podszyty niepewnością pisarską, podczas gdy cały tom zapowiada moje tematy, obsesje i upodobania.

Kołobrzeg 2001.

Różnie. Gombrowicz radził, by pisać byle co, a rzecz i tak się rozwinie. Ja mam kult pierwszego zdania, w którym całość się mieści. Zawsze jest potrzebny obraz, bardziej nawet niż pierwsze zdanie.

A najlepiej, gdy to pierwsze zdanie jest równocześnie obrazem. Skromnie posłużę się własnym przykładem: w *Innych rozkoszach* pierwsze zdanie brzmi: „Gdy w roku Pańskim 1990 doktor weterynarii Paweł Kohoutek spojrzał w okno i ujrzał idącą przez ogród swą aktualną kobietę, z właściwym sobie pyszałkowatym fatalizmem pomyślał, iż przydarzyła mu się przygoda, która winna być ostrzeżeniem dla wszystkich". Jeśli pierwsze zdanie jest zarazem obrazem, działa to uspokajająco, ale też pobudzająco. Jak masz złapane dobrze pierwsze zdanie, to rolą pisarza jest wyciągnąć z tego pierwszego zdania wszystkie konsekwencje. To znaczy: kim jest idąca przez ogród kobieta, jaka jest sytuacja rodzinna Kohoutka, gdzie stoi ten dom, dlaczego kobieta przyjechała z walizką etc., etc. Wyciągając odpowiedzi na wszystkie pytania, które stawia ten obraz i następne obrazy, zadając sobie pytania dodatkowe – starczy na napisanie książki.

Dałeś przykład, jak zacząć samo pisanie. Mnie ciekawi, skąd bierzesz pomysły na książki, ten moment, zanim usiądziesz przy biurku. Pamiętam, że w trakcie pisania *Wielu demonów* byłeś w Sopocie – to było w lipcu 2010 roku – gdy zaginęła Iwona Wieczorek.

Ja raczej miewam pomysły dopiero, jak usiądę za biurkiem. Ale od dawna chodził za mną wątek, którego na szczęście w żaden sposób nie zaznałem. Tak jak dzisiaj rozmawiamy o śmierci, mówiąc o śmierci w ogóle i o marności żywota ludzkiego, tak wcześniej miałem poczucie tej strasznej tajemnicy, tego strasznego przeżycia, które właściwie nie jest wyjątkowe, jest quasi-masowe. W gazetach ciągle czytamy: wyszedł, nie wrócił, przepadł, ktokolwiek widział, ktokolwiek wie. Jest jakiś gigantyczny margines ludzi, którzy być może się znajdą, być może nie, niektórzy są chorzy psychicznie, niektórzy mają zanik pamięci. Ktoś jest z tobą całe życie w mieszkaniu, po czym z dnia na dzień znika.

Kiedy zaginęła Iwona Wieczorek, byłem w Sopocie, mieszkałem przy jej ostatniej trasie. W pewnym sensie byłem do tematu zniknięcia przygotowany, na tyle, na ile mogłem być przygotowany: zbierając jakieś wycinki, rozmyślając na ten temat. A tu świadkiem byłem niemalże naocznym. Nazajutrz poszedłem się ostrzyc, zupełnym przypadkiem trafiłem na zakład prowadzony przez matkę Iwony. Pamiętam przedziwną atmosferę, zdjęcie Iwony na drzwiach, byłem szalenie blisko. O czwartej w nocy w lipcu robi się widno, Iwona idzie drogą wzdłuż plaży, ale do domu, od którego dzieli ją dwadzieścia minut, już nie dochodzi. Zostaje najprawdopodobniej zamordowana, i to wszystko dzieje się w zasięgu mojej aparatury poznawczej. Jej zaginięcie jakoś urosło, stało się symbolem, zaginięciem stulecia, mnie utwierdziło w zamiarze pisarskim. Nie byłem w stanie nawet wyobrazić sobie, co przeżywa jej matka… Iwona była do niej podobna bardzo, podobne do siebie jak córki pastora. Niestety, karmienie się cudzymi tragediami to odwieczny obyczaj literatów.

Czy żałujesz, że czegoś nie napisałeś albo że jakiś pomysł został zmarnowany?

To jest zawsze, w większym lub mniejszym natężeniu. To znaczy przez każdą istniejącą książkę prześwieca nieistniejąca, grubsza, większa, ciekawsza. I każda następna książka jest w pewnym sensie korektą poprzedniej, choć oczywiście każdy pisarz robi w danym momencie to, co może zrobić najlepiej, pracuje na maksa. Tak samo było w przypadku *Zuzy* – teraz dobrze wiem, co można było więcej zrobić, z drugiej strony takie złudzenia po napisaniu mam za każdym razem. Ale na pewno zdrowiej jest pisać następną książkę, niż przerabiać poprzednią.

Jak wymyślasz tytuły swoich książek?

Z tytułami jest – że powiem coś odkrywczego – różnie. Ja, jak wiadomo, mam kult początku, a tytuł zalicza się do początku książki. Czasem zaczynałem bez tytułu, tak było w przypadku *Innych rozkoszy*. Pojechałem do Ameryki, pisałem tę historię o Pawle Kohoutku i miałem do czytania prozę Schulza i Biblię. W Księdze Eklezjasty trafiłem na zdanie, które wziąłem. Jeśli chodzi o *Tysiąc spokojnych miast*, była taka sytuacja, że moja córka, która wtedy była szalenie młodą osobą i chodziła na kurs francuskiego, powiedziała mi o jakimś wyjątku gramatycznym czy ortograficznym, który brzmi: *mille villes tranquilles* – tysiąc spokojnych miast. To ona zauważyła, że byłby to świetny tytuł. Zdecydowałem się napisać książkę pod takim tytułem i długo był tylko tytuł. W końcu rzecz powstała, dałem tam też rozdział poetycko tłumaczący, co i jak z tymi miastami. Największą mękę miałem z *Miastem utrapienia*. Kombinowałem coś z arią, z poszukiwaczem, w końcu znalazłem zdanie u Dantego. Byłem umiarkowanie usatysfakcjonowany, w dodatku książka dostała najgorszą okładkę stulecia: tajemniczy bankomat. Jeden z moich zbiorów felietonów nosił tytuł *Tezy o głupocie, piciu i umieraniu* – wymyślił go Zbyszek Mentzel, miała to być aluzja do *Tez* Marcina Lutra… Tytuł komunikację z zawartością książki oczywiście musi mieć, chociaż są przykłady książek, gdzie nie ma żadnej, na przykład *Jesień w Pekinie* Borisa Viana – ani jesień, ani w Pekinie.

Dobry esej o tytułach towarzyszy niektórym wydaniom *Imienia róży* Umberta Eco. Jego teza jest słuszna: najtrafniejszy model tytułu, jaki w historii literatury istnieje, to imię bohatera – *Anna Karenina*, *Madame Bovary*, *Doktor Faustus*, *Mistrz i Małgorzata*, *Bracia Karamazow*, *Robinson Crusoe*… À propos: *Pan Tadeusz* – tu tytułem jest imię postaci drugoplanowej. Henryk Sienkiewicz dawał dobre tytuły: *Ogniem i mieczem* – świetne! Czasem problemem jest podobieństwo: Jarosław Iwaszkiewicz wydał powieść *Sława i chwała*, wcześniej wyszła *Moc i chwała* Grahama Greena. Albo Marii Dąbrowskiej *Noce i dnie* i współczesnego jej Rosjanina Konstantina Simonowa *Dnie i noce*.

Kraków, połowa lat 90.

Istnieją świadectwa pisarzy, którzy mogli pracować tylko, jeśli nigdzie nie wychodzili. Stąd popularność domów pracy twórczej: rano pisanie na maszynie, potem posiłek, potem powrót w to samo miejsce. Ja wstawałem wczas rano, piłem kawę i siedziałem co najmniej do południa, minimum cztery, pięć godzin. Przeważnie nie wiedziałem, co będę pisał, miałem parę zdań do przodu, często zostawało coś do wykończenia, coś rozgrzebanego, co jest wielkim plusem i błogosławieństwem. Najgorszy był czas po zakończeniu książki, kiedy nagle przychodziło zmierzyć się z pustką, a nie umiałem, tak jak teraz umiem, zająć się czymś innym. Niepojęte, jak nie dawałem sobie rady z przeszkodami banalnymi, które wtrącały mnie w głęboką nierównowagę. Teraz radzę sobie ze stanami ducha znacznie trudniejszymi.

W czasach krakowskich, gdy bywałeś u Kornela Filipowicza, bardzo podobał ci się jego „rynsztunek" pisarski, biurko zawalone różnymi przedmiotami. Wydaje mi się, że dziś twoje biurko wygląda podobnie. Opisz, proszę, wszystkie przedmioty, które się na nim znajdują, i powiedz, dlaczego musisz je mieć pod ręką.

Tego się nie da zrobić. Po pierwsze, jest zasadnicza różnica pomiędzy mieszkaniem Kornela a moim mieszkaniem. Kornel miał mieszkanie, od pewnego momentu przynajmniej, bardzo silnie zapuszczone. Poza tym nastąpiła taka okoliczność, że wybuchł tam pożar. Kornel miał rytm pracy odwrotny do mojego: do południa przyjmował gości, potem szedł na obiad na Krupniczą, wracał do domu, gdzie na chwilę się kładł, i pracował po południu. Palił jak smok, także w łóżku i na kanapie. I raz usnął z tym petem, powodując pożar. Obudził się, zobaczył, że wszędzie jest pełno dymu, padł na podłogę, dopełznął do liczników elektrycznych i je wyłączył. Dopiero ta okoliczność zmusiła go do remontu kuchni.

Średniowieczne miasto z nienaruszoną substancją architektoniczną, z wąskimi zaułkami, antykwariatami, księgarniami i teatrami, z niesamowitą pogodą – słynna krakowska mgła. Kraków, lata 70.

Jeśli chodzi o przedmioty, jestem niechętny. W jednym z programów telewizyjnych była audycja o książkach, w której poproszone osoby pokazywały i opisywały swoją bibliotekę. Ja bym tego nie zrobił.

Wobec tego ja powiem. Na biurku i parapecie stoją: budzik, laptop, sześć figurek kotów, notesy, cztery pojemniki na przybory do pisania, z czego trzy są pełne zaostrzonych ołówków, w liczbie... trzydziestu dziewięciu.

W pisaniu niesłychanie lubię rękodzieło, to znaczy pisać ręcznie piórem na papierze. Musisz mieć pióro, papier, atrament, notatnik, drugie pióro, trzecie. Cały szereg rezerwowych notatników. Lubię pióro Pelikan, stalówkę BB, czyli najgrubszą, jaka jest, lubię wytworne, eleganckie notesiki, które przyszły razem z niepodległością do Polski, i bardzo sobie je chwalę, zawsze byłem wielkim amatorem galanterii papierniczej. A ołówki? Moje ręce są w różnym stanie, czasem trudniej jest pisać wiecznym piórem, łatwiej ołówkiem, dlatego mam je w pogotowiu. Ołówek musi być zaostrzony. Trzydzieści dziewięć ołówków to jest prawie wieczność – wyobraź sobie, że wypiszesz trzydzieści dziewięć ołówków. Jak masz je na biurku, dają gwarancję długiej perspektywy życiowej.

Dziesięć kulek różnych: metalowych, szklanych.

Kulki to było szaleństwo, wyżej nie szło. W czasach mojego dzieciństwa zdobyć gdzieś szklaną kulkę to było ho, ho! Dobrze mi robią, chwytam je i uspokajam ręce.

Masz też na biurku, na stole i na półkach pełno różnej wielkości pudełek: drewnianych, plecionych, metalowych. Co w nich trzymasz?

To są pytania, które daleko przekraczają granice intymności!

Najrozmaitszego rodzaju przedmioty muszą być gromadzone starannie w pudełkach.

Jakie?

Przykład. Tu mam ściereczki do czyszczenia okularów, tu mam zakładki do książek, tu – ja nie palę, ale czasami mam gości, którzy palą – jest pudełko na przybory tytoniowe. To jest klasyczne pudełko, w którym jest wszystko: muszelki, mała piersiówka, puste pudełko na kulki, stary zegarek.

A to małe, metalowe?

To jest na różnego rodzaju klucze, mniej lub bardziej symboliczne. To z kolei jest pudełko na najnowsze wizytówki, w osobnym dużym są starsze. Tu są gumy do żucia i miętówki.

A w tym drewnianym?

Kosztowne, eleganckie zakładki do książek, nie takie codzienne, przerobowe.

Masz też dwie piłki futbolowe.

Prezent od chłopców z „Przeglądu Sportowego" i pamiątka z „Polityki". Wszystko w tym pokoju ma swoje miejsce, zlikwidowałem stojące stosy książek. Chociaż ostatnio tu, pod ścianą, małe zarodzie stosiku się pojawiło… Zmieniłem też zdjęcia stojące na półkach. Olo Jurewicz przysłał mi ostatnio kartkę – listonosz z początku wieku jadący na rowerze. Facet wygląda tak, jak mógł wyglądać mój dziadek, naczelnik poczty. Postawiłem też zdjęcie, na którym ja jako chłopiec, na początku życia, stoję pod górą i pokonanie jej wydaje mi się ukwieconą, radosną wędrówką…

A będzie? Drogą krzyżową?

Nie, ja nie mam prawa tak mówić. Mam tu też pewne pamiątki dotyczące obszaru biurka. Na przykład ten zszywacz jest z poczty w Wiśle, z czasów, gdy jej naczelnikiem był mój dziadek. Tu są trzy bibularze, zwane też suszkami.

Osiem temperówek.

Osiem temperówek i trzydzieści dziewięć ołówków – no i cóż to jest?

Nóż introligatorski Olfy ode mnie, sześć gumek do mazania. Stare Pismo Święte, lupa i kolorowa szklana podkładka pod lupę.

A całe to pudełko było pełne części do maszyny do szycia Dürkopp mojej babci. To szydło jest jej szydłem, ono było zawsze w Wiśle. I stara pieczęć z poczty wiślańskiej. A to nożyk, którym moja babka całe życie obierała ziemniaki. Sztormowe zapałki z norweskiego muzeum Ibsena, przycisk do papieru w kształcie ręki, prezent od Zbyszka Mentzla.

Dlaczego masz przed oczami te wszystkie przedmioty? Wierzysz, że przechowują jakąś energię, dają siłę?

Jest coś takiego. W każdym razie nigdy nie miałem wyrzutów sumienia, że się o nie zatroszczyłem. Na przykład świecznik, który jest w kuchni, stał zawsze podczas dawnych wigilii na środku stołu, póki nie kupiliśmy nowego. I patrz, jakie świetne duże drewniane klamerki. Kupiłem je w Tigerze na Nowym Świecie, to ostatnio mój ulubiony sklep.

Powiesiłeś na ścianie jeden portret Andrieja Płatonowa. Dlaczego akurat on?

W 1976 roku miałem dwadzieścia cztery lata i przeżyłem moje największe pisarskie olśnienie. Interesowałem się zawsze literaturą rosyjską, czytywałem różne kompendia, a w popularnej serii „Omega" wyszła wówczas poświęcona tej tematyce książeczka Andrzeja Drawicza, którego ceniłem. Kupiłem ją trochę na ślepo. I tam był frapujący rozdział o pisarzu nazwiskiem Andriej Płatonow. Kupiłem więc jego książkę, przeczytałem i to było przeżycie, którego nigdy potem, ani przedtem, nie miałem, porównywalne może tylko do lektury wierszy Stanisława Grochowiaka. Nie było to tylko przeżycie intelektualne – miałem dosłownie dreszcze, czytając Płatonowa, do tego stopnia był mój. Cały szereg wielkich pisarzy jest dla mnie ważnych – Kundera, Miłosz, Iwaszkiewicz, Gombrowicz, Schulz, Mrożek, Flaubert, Hesse, Mann – ale portret na ścianie mam jeden. Potem przeczytałem esej Brodskiego *Katastrofy w powietrzu*, częściowo poświęcony Płatonowowi właśnie, gdzie wprost stosuje kategorię, którą niechętnie teoretycy literatury stosują, czyli sportową, że mianowicie pisarstwo Płatonowa jest porównywalne z mistrzowskimi dziełami Marcela Prousta i Jamesa Joyce'a, czyli ze szczytami możliwości literackich i językowych dwudziestego wieku.

Często powtarzasz, że utwór ma swój ton, że autor złapał tonację. Co to znaczy?

A jak się używa tonacji w muzyce?

Tonacja często określa nastrój, klimat, czasem tematykę utworu, w operze charakteryzuje zjawiska i postaci. Jesteś w tonacji, jak nie fałszujesz.

No, ja mówię dokładnie to samo. Złapałem tonację, ponieważ nie ma fałszu.

Podporządkowujesz tonacji całą kompozycję?

Na podstawie kawałka, który napisałem, sprawdzam, czy nie ma zgrzytu. Bliźniacze jest to, że czytam fragment na głos.

Co znaczy ten zgrzyt? Że na przykład zacząłbyś pisać esej, a skończył jako opowiadanie?

Też, ale nie da się tego dokładnie wytłumaczyć. Każde zanieczyszczenie toku wypowiedzi fałszywym tonem jest dla mnie uchwytne. Jestem na to uwrażliwiony.

Dobra literatura to jaka literatura, twoim zdaniem? Po czym poznajesz na przykład dobry wiersz? Da się wymienić konkretne cechy?

Da się wymienić, ale wszystkie one są falsyfikowalne i łatwe do obalenia. O tym, czy coś jest ciekawe, rozstrzyga zgoda umysłów czytelniczych. Wiersz może być napisany na tysiąc sposobów.

Z reżyserem Remigiuszem Brzykiem, Wigry 2002.

Od strony negatywnej też nie da się określić, bo kto to jest grafoman? Barańczak pisze, że grafoman to jest ktoś, kto pisze z radością. Ale pewnie czasem się zdarzy napisać wielki wiersz w euforii.

Nie pytam o ogólne zasady, ale o twoje własne kryteria.

Czuję frazę, a fraza ma swoją tonację. Ale jest to bardziej intuicyjne, trudne do opisania. Z drugiej strony, jak to świętej pamięci Henryk Bereza mawiał: trzeba się znać na literaturze jak na wełnie. Dobry krawiec, który ma uszyć ubranie, bierze do ręki materiał i od razu wie, czy się nadaje na garnitur, czy na płaszcz. To się czuje. Nie musi uszyć, by wiedzieć, tylko dotknie i wie.

Jak się nauczyć odróżniania dobrej literatury, a jeszcze lepiej: jej pisania?

Nie da się. Wszelkie szkoły pisarskie są jednym wielkim zawracaniem głowy.

Zaraz, bo czegoś jednak uczą: jaka ma być kompozycja, jak stworzyć bohatera...

Niczego nie uczą. Zabierają czas i oczywiście pieniądze.

Wielu twoich kolegów pisarzy uczy w takich szkołach.

Sam kiedyś byłem na warsztatach nad Wigrami, gdzie prowadziłem kurs z gromadą... wszystko jedno – uczniów. Nie słyszałem, żeby któryś wypłynął.

Z literaturą jest problem, bo pozornie tworzywo ma każdy. Żeby coś dobrze zaśpiewać, narysować, trzeba mieć talent. I nie wiesz, czym jest ten talent. Ty byś mnie rysowała i odrobisz podobieństwo, ja cię nie odrobię za nic. A jeśli chodzi o literaturę, to ludziom się wydaje, że wystarczy zlikwidować własny analfabetyzm, czyli nauczyć się pisać i czytać – i można być pisarzem. Mamy tego owoce: każdy pisze albo wynajmuje ghostwritera.

Niektórym wydawało się, że zniknie pisanie. Na przykład pisanie listów się skończyło, bo nastał telefon. Tymczasem telefon, który wydał telefonię komórkową, odnowił pisanie – w sztuce esemesów: lakoniczne, niegramatyczne, ale pisanie. Sztuka pisania w sensie społecznym wróciła, bo masa ludzi mówi: „ja z nim piszę". Tak się mówiło, może nie w dziewiętnastym wieku, ale w mojej młodości, gdy dziewczyny i chłopaki pisali jakieś listy miłosne. Tak samo maile. Pojawił się wynalazek komputera i oczywiście można pogadać przez Skype'a, ale maile są poważniejszym sposobem odnowienia sztuki epistolarnej, bo mają swoje zasady, na przykład: jak napisać służbowego maila. Dziś bez maila, bez esemesa niepodobna w ogóle żyć.

Co pisanie daje tobie?

Teraz, gdy mam przymusową przerwę, to straszliwie tęsknię za pisaniem, za poprawianiem. Ale też cieszę się, bo to znak, że mózg działa, nie czuję, żebym był w jakiś sposób umysłowo zdegenerowany, może nawet wręcz przeciwnie.

A wcześniej, gdy pisałeś codziennie, co ci to dawało?

Było sensem mojego życia. Na początku, przed pierwszą książką, było ciężko, co widać po tym, jak długo nad nią siedziałem. Wcześnie zaczynałem, próbki literackie – szkoła średnia, studia – wciąż próbki, wreszcie debiut pod czterdziestkę, miałem trzydzieści sześć lat! Ale potem do drugiej książki, czyli do *Spisu cudzołożnic*, jest pięć lat, a każda następna maksymalnie dwa lata przerwy – w sposób niezauważony wypełniło mnie to całkowicie. Wspomogły okoliczności zewnętrzne, mogłem się pisaniu poświęcić, mogłem postawić wyłącznie na literaturę.

Powiedziałeś kiedyś półżartem, że pisze się, żeby „wkurwić kolegów"...

Nie tylko półżartem. Czesław Miłosz chciał kiedyś wydać książkę o literaturze pod tytułem „Turniej garbusów". Ale zrezygnował z tego pomysłu, bo zaczął mieć wątpliwości – że Brodski, że ma kolegów noblistów, a oni nie są garbusami... I zmienił ten wyrazisty tytuł na *Życie na wyspach* chyba. Zmierzam do tego, że on również był autorem tego spostrzeżenia. Nie odkrywam Ameryki, nie krzywdzę nikogo ani niczego nie wymyślam. Literatura polega też na tym, że tworzy ją stado garbusów z balonikami i oni wszyscy kombinują, jak by tu swój balonik dać jak najwyżej, a innym poprzekłuwać. Ideał dla pisarza to literatura jednoosobowa.

Gdybyś popatrzył na siebie w tej chwili z perspektywy siebie młodego i skonfrontował własne oczekiwania z późniejszymi doświadczeniami, jakie wymieniłbyś dobrodziejstwa zawodu pisarza, a przed czym byś przestrzegł?

Przede wszystkim wybór zawodu pisarskiego to jest wybór samotności. Jest się samemu od początku do końca książki. Na pewien sposób jest to idealne dla pracy, na inny sposób dosyć trudne. Teraz zmienia

Przystanek Olecko, 2001.

sytuację stan zdrowia, ale nie będziemy się kolejny raz nad tym roztkliwiać, w innym miejscu jest to jasno i rzeczowo oświetlone.

Dobre było to, że byłem pisarzem czynnym, pisarzem widzialnego sukcesu. Literatura bardzo wiele mi dała nagród – nagród mówię nie w sensie nagród literackich, ale niewidzialnych: pewnego zadowolenia, pewnej dumy, listów od czytelników, tej grupy ludzi, dla której moje książki są ważne. To daje siłę. Dziś, gdy warsztat pisarski jest powolniejszy, ale jest, mam odcięte wszystkie zbyteczności, w rodzaju targów książki, wieczorów autorskich czy występów w telewizji. W moim życiu, w tym mieszkaniu, które samo w sobie jest ważne, w ważnym momencie życiowym, mam same ważne rzeczy do zrobienia. Nie znaczy to, że obróciłem się w śmiertelną powagę, bo jak mi zaproponują wywiad o piłce nożnej – zawsze dam. Po prostu jakościowo jest dziś niezwykle interesująco.

Powiedziałeś, że literatura dużo ci dała. Chwila prawdziwego szczęścia?

Muszę się zastanowić… Raz Kuba Wojewódzki napisał, że jestem Keithem Richardsem literatury polskiej – ucieszyło mnie to, że tak powiem, dogłębnie.

Dostałeś chyba wszystkie najważniejsze nagrody literackie, jakie można dostać w Polsce. Co one dla ciebie znaczą?

Nagrody generalnie nie robią dobrze, raczej szkodzą. Zwłaszcza w Polsce jest jakaś niezdrowa atmosfera wokół tego. Ja i tak miałem duży fart, bo od czasu gdy zostałem laureatem Nike, napisałem kilka książek i miałem kolejne udziały w finałach. W sumie byłem nominowany około dziesięciu razy, nie pamiętam dokładnie ile. Chyba między innymi dzięki temu dano mi spokój i nikt specjalnie się nie czepia. Na warsztat też mi to nie weszło, przynajmniej sam nie odczułem. Ale z drugiej strony muszę powiedzieć, że bardzo mnie ucieszyła i bardzo jest dla mnie ważna nagroda miesięcznika „Odra". To jedno z nielicznych pism, które przetrwało z dawnych czasów, które trzyma ten sam fason. Z czasów młodości pamiętam, że tę nagrodę dostali i Wisława Szymborska, i Kornel Filipowicz. Rad jestem.

Mówiłeś o czytelnikach, dla których twoje książki są bardzo ważne. Właśnie obejrzeliśmy teledysk grupy rockowej Kiev Office do utworu pod tytułem Jerzy Pilch. Kiedy się dowiedziałeś, że powstaje takie dzieło?

Ktoś mi powiedział, że jest taki zespół. Ja, jak wiesz, nie buszuję po YouTube. Wydaje mi się to muzycznie interesujące i chyba tyle mogę na ten temat powiedzieć. Twórca najwyraźniej składa hołd temu, co piszę, trudno reagować na coś takiego inaczej niż wzruszeniem.

Jak myślisz, co dwudziestopięcioletni człowiek znajduje w twojej prozie?

Nie wiem. Mnie się nigdy nie zdarzyło zalecać ani do starych, ani do młodych, nigdy nikomu nie schlebiałem, nie starałem się za nikim nadążać, pisałem wyłącznie w swoim imieniu. Dla młodych ludzi, którzy są na ogół bezkompromisowi, mogło to mieć pewne znaczenie. Druga sprawa jest taka, że ja, wbrew własnej ochocie, stałem się modelem pisarza, którym nie bardzo chciałem być. Trochę się brzydzę awangardą obyczajową, nie przepadam za pijakami, ekscesami, nie imprezuję, nie ćpam, pierwszą marihuanę zapaliłem, jak się dowiedziałem, że to pomaga na parkinsona.

Pomaga?

Pomaga. Generalnie moja odpowiedź jest twierdząca. Ale pomaga w specyficzny sposób. Owszem, drżenie na parę godzin ustawało, była to dla mnie niewątpliwie ulga fizyczna, ale niestety, wszystko inne też było wyłączone. To znaczy siedziałem w tym fotelu, paliłem i nic nie było potrzebne. Nie czytałem, nie oglądałem telewizji, nie siadałem za biurkiem, z nikim nie rozmawiałem, do nikogo nie dzwoniłem – pięć dni siedziałem i jarałem. Nie miałem najmniejszego problemu, żeby to zostawić, najmniejszego problemu z tym, żeby do tego już nigdy nie wracać.

Kiedyś wyobrażałem sobie, że będę pisarzem- -księgowym, urzędnikiem od literatury. Tak jak w muzyce Igor Strawiński: miał teczkę i biuro, w którym komponował, bo to wszystko w Ameryce można było sobie kupić, i szedł z tą teczką do roboty. Pisarzem spragnionym urzędniczego trybu życia był też Franz Kafka, pisze gdzieś, że jego marzeniem jest mieć własną piwnicę, gdzie będzie w wybranych przez siebie godzinach pisał, spał i jadł. Jest to trochę utopijne, bo tak się nie da, ale ustawić życie tak, by uprawianie sztuki miało radykalną przewagę nad resztą życia – da się. A to nawet w pewnych wypadkach jest konieczne. Na moje zdyscyplinowanie i poważne traktowanie sztuki nałożyłem sam sobie – albo jakiś los mi nałożył – cyganeryjny tryb życia i cyganeryjną gębę, czego nie lubię. Ale być może właśnie dlatego, że tego nie chciałem, w moim ujęciu tematyki alkoholowej – mam na myśli *Pod Mocnym Aniołem* – nie ma tandety. To znaczy nie ma upojenia, zachwytu: oto ja, człowiek sztuki, wstępuję po schodach ze spirytusu w krainę szczęśliwości gorzkiej żołądkowej, tylko jest opór, niechęć: ja nie chcę, ja chcę wyjść. Ostatecznie w tej książce wyszedł bezwiednie, niezaplanowany zupełnie, co też ma swoje znaczenie, portret, który w jakiejś mierze może przekonywać młodego człowieka.

A może tę cyganeryjną gębę sam sobie nakładasz w wywiadach, które często są bardziej, że się tak wyrażę, „niegrzeczne", niż ty w istocie jesteś?

To prawda. W wywiadach podkręcam, bo jak ktoś słusznie powiedział, udzielający wywiadu autor w pewnym sensie zarysowuje dalszy ciąg swojej twórczości. Te moje rzekome skłonności do ekscesów, do zachwytów erotycznych, które silniejsze są, a w każdym razie o wiele bardziej bezpośrednie w wywiadach niż w książkach, to rodzaj mojej niewinnej zabawy.

O jakim pisarzu ty byś napisał piosenkę w czasach swojej młodości?

Dla mnie takim pisarzem wzorem, pisarzem, o którym ja, gdybym był muzykiem rockowym, napisałbym przebój, był Tadeusz Konwicki. Był reżyserem, zachwycał się kobietami, był niezależny – fantastyczny facet, który nauczył moje pokolenie, nie tyle pisać – co jest ważne, ale nie jest takie ważne – ile, że on nas wyposażył w pewne władze poznawcze. Nauczył dystansu, powściągliwości, nauczył, że inaczej

W Słubicach, 2000.

można się zabrać do pewnych tematów. Czasem dzwoniłem do niego, gadaliśmy. Mówiłem mu, że na pewno dostanie Nagrodę Nobla, tylko musi zrobić jedną rzecz, mianowicie: to, co już napisał, napisać jeszcze raz. Kiedyś dał taką książkę, reportaż *Przy budowie*. Tadeusz Konwicki jako młody, zafascynowany socjalizmem pisarz zostawił żonę w Warszawie i pojechał budować Nową Hutę, przez rok pracował fizycznie. I teraz stary Konwicki, po latach, z nową wiedzą i ze świadomością fiaska tej Nowej Huty, jeszcze raz ma bohatera – samego siebie podejmującego decyzję o tym, że poświęci się socjalizmowi. Tadeusza Konwickiego ten pomysł nie zachwycił, nie dogadaliśmy się w tej sprawie.

Z którym pisarzem chciałbyś się spotkać i pogadać?

Z polskich z Brunonem Schulzem. Nie bałbym się go. Mam go za geniusza, ale nie zdominowałby mnie, bo jego natura była taka, jak to Gombrowicz napisał: „Ja urodziłem się na pana, on urodził się na niewolnika". Schulz napisał o *Ferdydurke* esej, zachwycał się, Gombrowicz też się niby Schulzem zachwycał, ale przecież go nie czytał, to jest pewne! Sam to w *Dzienniku* wyznaje. Poza tym Schulz to najwybitniejszy polski prozaik, tak asekuracyjnie mogę powiedzieć. Z Brunonem Schulzem o kobietach? Jakby ruszyło, to do białego rana by nam zeszło. Ten sam temat tyczy Tołstoja, przecież napęd Tołstoja jest następujący: w młodości był nieposkromiony, o czym jest mowa i w korespondencji, i w dziennikach. Ale tak go Bóg skonstruował, że za każdym razem przeżywał potworne wyrzuty sumienia, potworne cierpienie, i z tego powstała tak genialna powieść jak *Zmartwychwstanie*. Opowiada o młodym posiadaczu Niechludowie, który jako bardzo młody człowiek przyjeżdża do swoich ciotek na wakacje. Spędza tam czas, ale krew nie woda, i jakoś załatwia z kim trzeba, że przyjdzie ta i ta. Przyszła jedna cudnej urody i Niechludow gdzieś ją obrócił na sianie. Potem wyjechał, właściwie o niej nie myślał, piął się po szczeblach kariery, w końcu został ławnikiem, minęło wiele lat. Jest sprawa morderczyni, prostytutki Masłowej, która zabiła kupca. I jest scena, gdy przyprowadzają Masłową, on siedzi, nagle orientuje się: to jest ta, którą lata temu pozbawił dziewictwa! Okazało się, że po pamiętnych wakacjach została z jego dzieckiem, o czym on nie wiedział. Przeszła straszną drogę, zakończoną tragiczną śmiercią wspomnianego kupca, którego w jej pokoju trafił szlag. Niechludow decyduje się wziąć winę na siebie, zostawia wszystko, łącznie z narzeczoną, i wraz z Masłową idzie na zsyłkę. Z takich potwornych wyrzutów sumienia u Tołstoja rodziły się wielkie powieści.

Ale w końcu chciałbyś się z nim spotkać czy nie?

Jeden temat byłby wspólny, inne – nie wiemy. Z zagranicznych pisarzy chciałbym poznawczo porozmawiać z Nabokovem. Człowiekiem, który zauważył, że bohater *Przemiany* Kafki, Gregor Samsa, który zamienił się w robaka, w istocie powinien mieć skrzydła. Nabokov, jako entomolog, zanalizował tego robaka i wyszło mu, że ten gatunek ma skrzydła. Gregor mógł w każdej chwili odlecieć, w związku z czym całe opowiadanie Kafki jest zawracaniem głowy. Okno otwarte i pa, pa. Pisarzem Nabokov był wielkim. Ale jakim był czytelnikiem!

Swego czasu bardzo uważnie śledziłeś rynek literacki w Polsce, zauważałeś i ogłaszałeś ważne debiuty. Wciąż trzymasz rękę na pulsie?

Mniej. Ale jak będzie coś dobrego, to na pewno się o tym dowiem. Nie trzeba czytać marnych książek po to, żeby trafić na dobrą. Dobre mają w sobie jakąś taką magię, że wypływają. Zwłaszcza w tych czasach, które nie są czasami zadeptywania geniuszy, ale są czasami, jak to wielokrotnie podkreślałem, polowania na geniuszy, niepodobna, by przepadło coś naprawdę wartościowego. Podobno bardzo dobre recenzje ma debiutancka powieść syna Józefa Hena, Macieja, rocznik co prawda pięćdziesiąty piąty. A Józek ma ponad dziewięćdziesiąt lat.

A czy masz kontakt z jakimiś współczesnymi pisarzami, z tak zwanym środowiskiem?

Prawie żadnego. Andrzej Stasiuk czasem dzwoni. I Krzysiu Varga. Andrzej Franaszek tu bywa. I Wiesiek Uchański. Więcej nikt.

Rozmawiasz z kimkolwiek o pisaniu?

Nie, na to jestem za stary. Koledzy, owszem, mają chęć. Ja już nie.

W 1994 roku wydałeś *Rozpacz z powodu utraty furmanki*. Miałeś wtedy niesłychany temperament polityczny, jest tam wiele tekstów opisujących czy analizujących doraźne tematy, kilka diagnoz społecznych, czasem wręcz historiozoficznych. W pierwszym *Dzienniku* również podobne tematy można znaleźć. Gdzie się dzisiaj podziały?

Dziś w ogóle tego nie czuję. Nie mam takiego paliwa, jakoś jestem otępiały. Dawniej był święty czas „Faktów". Do południa pisałem, szedłem na obiad, wracałem, czasami jakieś urozmaicenia: gra w piłkę czy spotkania, ale – co wielokrotnie podkreślałem w różnych wypowiedziach autobiograficznych – o godzinie dziewiętnastej oglądałem „Fakty". Ostatnio przestałem oglądać jakiekolwiek wiadomości, czas mojej dziennej sprawności się trochę skurczył. Jak codziennie widzisz gęby polityków, ich agresję, to na to reagujesz siłą rzeczy, to trochę tak, jakby brać zastrzyk. Ja zastrzyki życia politycznego po prostu przestałem brać.

Rozpacz z powodu utraty furmanki to czas „Tygodnika Powszechnego", żyłem wtedy polityką. Przez dziesięć lat pracy tam chodziłem na każde zebranie redakcyjne, i na takim zebraniu nie było mowy, żeby co najmniej połowy czasu nie przeznaczono na omówienie sytuacji politycznej, z różnoraką wiedzą dodatkową. Z drugiej strony, cała masa ludzi żyje, nie czytając gazet, nie oglądając wiadomości, tylko pożyczając filmy albo oglądając je na laptopie, porozumiewając się ze sobą za pomocą esemesów i portali społecznościowych. Prawdziwa Polska jest gdzie indziej.

Czyli masz wrażenie, że przez swoją nieobecność na przykład na portalach społecznościowych nie dotykasz teraźniejszości tak blisko, jak byś mógł?

Nie biorę tego zastrzyku. Gdybym brał, pewnie bym reagował. W telewizji mam nastawione albo kanały kryminalne, albo sportowe.

Ważną książką w twojej twórczości jest powieść *Pod Mocnym Aniołem*. Wcześniej wielu twoich bohaterów popijało, w końcu postanowiłeś napisać książkę, w której alkohol jest głównym tematem. Dlaczego?

Też się nad tym zastanawiam. Na pewno miałem wcześniej pomysł, by coś takiego napisać, i szereg przesłanek, które mnie do tego zachęcały. Była korespondencja pomiędzy alkoholowym widzeniem świata, moim językiem, który cechuje się pewną wyszukaną formą, a językiem niektórych pijaków, w których wstępuje coś w rodzaju ducha narracji. Nagle facet, który mało się odzywa, pędzi lata w abstynencji i jest raczej bezbarwny, wypija – i budzi się w nim kabotyński narrator albo chęć opowiadania. Słynne opowieści pijackie w Polsce nie mają akurat wielkiej tradycji, ale piwne opowieści dały Czechom Hrabala! Na kufel Hrabala pracowały wcześniej całe pokolenia siedzących i gawędzących Czechów. Albo nagle budzi się w pijaku erotoman i zaczyna opowiadać jakieś niewiarygodne przygody – taka jest podstawowa mechanika wczesnej fazy szału alkoholowego, który uwzniośla i ośmiela. Na pewien sposób byłem stworzony do tego tematu. Choć długo wydawało mi się, że jednak nie, w końcu jest Jerofiejew, jest *Pod wulkanem*, są filmy na ten temat. W Polsce – poczynając od Marka Hłaski – pisali o tym różni pisarze, jest to w pewnym sensie zgrane. I przez całe lata – wiedząc, że mogę – tego nie robiłem. Aż przyszedł moment przymusu, przymusu zapisania jakiegoś zdania. Przyszło mi ono do głowy, zapisałem je i poszedłem tym tropem, skończyłem pisać *Anioła* na kuracji odwykowej w Tworkach. Znalazłem się tam co prawda niemal przymusowo, ale okazało się to ostatecznie zbawcze dla tekstu. Zresztą wiesz dobrze, bo byłaś jedyną osobą, która mnie tam odwiedzała.

Poczułeś, że załatwiłeś jakąś ważną sprawę, gdy skończyłeś pisać?

Poczułem raczej radość. Wyszedłem z kuracji z gotową książką…

…która stała się jedną z twoich najważniejszych książek…

…i wyszła nawet w Wietnamie.

Pamiętasz jakieś głosy po jej wydaniu?

Bardzo wiele podziękowań, w tonacji: „bardzo mi pan pomógł".

Pomógł w jakim sensie? Nazwania problemu, wzięcia się do leczenia?

Myślę, że nie pomógł. To, że pomogła książka, na pewno w każdym wypadku okazało się ostatecznie ułudą.

Wspomniałeś, że dzięki Kornelowi Filipowiczowi poznałeś Wisławę Szymborską – jedynego noblistę, z którym byłeś na ty.

Kornel i Wisława byli parą.

Mała dygresja: jak poznałeś Kornela?

Przyjechaliśmy, jak wiadomo, z rodzicami do Krakowa z Wisły w sierpniu 1962 roku. Przybysze z południa organizowali się tam w różne stowarzyszenia, jak na przykład Macierz Cieszyńska. Był też klub starszych panów cieszyniaków, do którego mój ojciec w pewnym momencie otrzymał zaproszenie od jednego z kolegów z AGH. Spotykali się mniej więcej raz w miesiącu, po to by w męskim towarzystwie, o wspólnych wszakże korzeniach śląsko-cieszyńskich, pogadać i napić się wódki. Na tych spotkaniach bywał też Kornel Filipowicz, który się z nimi przyjaźnił. Na takim właśnie spotkaniu ojciec poznał Kornela i oczywiście wrócił zafascynowany, że zna pisarza, a w księgarni są jego książki. Akurat wtedy ukazały się *Śmierć*

Ojciec wynajmował pokój na Filareckiej 10
w Krakowie. Ulica Filarecka łączy plac Na Stawach
z boiskiem Cracovii, do stadionu mieliśmy pięćdziesiąt
metrów.

mojego antagonisty i *Dziewczyna z lalką, czyli o potrzebie smutku i samotności*. Kornel na jednym z tych spotkań składał na przykład relacje ze zjazdu Związku Literatów Polskich, co było osobnym wydarzeniem, miało wagę polityczną. Kiedy przyszedł osiemdziesiąty pierwszy rok, ja już byłem pod trzydziestkę, ale ciągle bez debiutu. Powstało wówczas „Pismo", jego wicenaczelnym był Kornel. Wybrałem się do niego, coś zaskoczyło i zacząłem bywać. Chodziłem tam nie tylko po ocenę opowiadań, w której zresztą był bardzo powściągliwy, ale po prostu pogadać. Wisława zachodziła do Kornela, bo mieszkali w dwóch osobnych mieszkaniach, u niego się poznaliśmy. I polubiliśmy się, nawet bardziej niż z Kornelem.

Wisława nie znosiła stania w kolejkach, przeżyła cały PRL, nigdy w nich nie stojąc. W związku z tym była zmuszona kupować rzeczy, których normalny człowiek nigdy by nie kupił, a które być może, dobrze przyrządzone, uchodzą za przysmak w jakimś egzotycznym kraju. Czasem wchodziła do mieszkania, bo miała swoje klucze, i słyszałem, jak od drzwi wołała: „Kornelu! Pyszna rybka!" – a Kornelowi twarz tężała, bo wiadomo było, że nawet kot nie tknie tej rybki. Spotykaliśmy się też na „NaGłosie", znajomość się toczyła. Kornel lubił łowić ryby, spał wtedy kilka nocy w namiocie. Uwielbiał to, a ona udawała, że też to uwielbia. Kiedyś jechałem do Janka Chodakowskiego, do Londynu, już miałem wydaną pierwszą książkę, powoli stawałem się pisarzem pełną gębą, rok 1989. Reżim jeszcze istniał, ale bardziej formalnie, i pomyślałem, że dobrze byłoby przywieźć temu Jankowi dla

Pulsu jakiś prezent – wymyśliłem, żeby to był wiersz Wisławy. Ona bardzo ostrożnie dawała swoje wiersze, choć wydrukowała wcześniej kilka pod pseudonimem u Giedroycia w „Kulturze". Poprosiłem Kornela o pomoc i on tak ją zbajerował, że dał mi jej wiersz *Może być bez tytułu*. Ja dotarłem z nim do Londynu i wręczyłem go Chodakowskiemu, ukazanie się tego w „Pulsie" było pewną sensacją.

Puls to nie tylko wydawnictwo, ukazywało się też pismo?

Tak. Miesięcznik.

Wisława Szymborska była przeurocza, kolekcjonowała najdziwniejsze rzeczy. Gdyby ona zobaczyła taki sklep jak Tiger, toby oszalała. Kupiłaby wszystko! Wiele o niej mówi to, co inni wspominają, na przykład loteryjki, chociaż chyba lepsze były zupy w proszku. Mówimy o latach osiemdziesiątych, w Polsce nie ma nic, a to, co jest, jest na kartki. Niektórzy dostają zrzutowe paczki i ci mają się stosunkowo dobrze. Wisława i Kornel byli wtedy zapraszani za granicę, głównie do Niemiec, od czasu do czasu jeździli więc na Zachód. Przywozili stamtąd rozmaite kurioza, ale też rzeczy, których tutaj nigdy nie było i które stawały się składnikiem przyjęć u Wisławy. Mianowicie gospodyni jako poczęstunek podawała wrzątek w wazie i na tacy ułożone zupki w proszku, na nich niemieckie napisy: borowikowa, jarzynowa, barszcz itd. Byliśmy na to łakomi, czekaliśmy na to. Brało się zupkę, zalewało się wrzątkiem i ze smakiem popijało jarzynową na przyjęciu u noblistki. *In spe*, bo *in spe*, ale zawsze! Nieraz, nie wypominając, te filiżanki, z których piliśmy, nie były pierwszej czystości, ale Wisława do takich rzeczy kompletnie nie przywiązywała wagi. Miała osobliwą bibliotekę, której regały Kornel odnowił w ten sposób, że obił je tapetą drewnopodobną – efekt był porażający. W tym sensie Wisława była absolutną abnegatką. Moje wnętrze tutaj to dla Wisławy byłoby Muzeum imienia Jerzego Pilcha, dopiero co otwarte.

Gorące zupki były hitem, drugim była loteryjka. Każdy wyrzucał kostką jakiś numerek i na ten numerek mógł wziąć do niego przypisany przedmiot. Ja raz wygrałem kolorowy makaron, który wcześniej długo stał w pokoju jako ozdoba. Przypomnę tu polskie peerelowskie mieszkania, w których kolekcjonowane puszki po piwie stały na szafie. Bronek Maj wspomina, że kiedyś był u Wisławy z Czesławem Miłoszem, który wygrał wielki nos z doczepionymi do niego okularami w kształcie piłek pingpongowych; siedział w nich do końca imprezy.

Nigdyśmy z Wisławą nie pozwalali sobie na rozmowy o literaturze, o pisarzach. Oczywiście rzucała czasami jakieś uwagi i każda taka uwaga była perłą, polowało się na nie. Była wielbicielką konkretów w pisaniu, uważała, że zdanie rozpoczynające *Popioły* – „Ogary poszły w las" – nie jest żadnym zdaniem. Czyje ogary, dlaczego poszły, co je przestraszyło, jaki las?

Twoje ulubione pierwsze zdanie?

Izaak Babel: „Mając dziesięć lat, zakochałem się w kobiecie, którą zwali Halina Apollonowna, po mężu – Rubcowa". Daję to zdanie, bo jest krótkie; łatwiej napisać długie dobre zdanie i jest wiele doskonałych początków zaczynających się od długiej frazy, ze słynnym początkiem *Doktora Faustusa* na czele. A Babel jest lakoniczny, ironiczny, poza wszystkim uwielbiam to opowiadanie, pod tytułem *Pierwsza miłość*. Takimi zdaniami piszą rasowi prozaicy i co więcej, takimi zdaniami piszą rasowi poeci. U Szymborskiej właściwie nie ma wiersza bez konkretu, każdy wiersz jest niemalże fabułą.

Lubiła czytać prozę?

Lubiła – wystarczy przeczytać sobie jej wiersz *Tomasz Mann*. Sama jednak nie pisała. W jej domu wiecznie był włączony telewizor, była wielką maniaczką *Dynastii*, nie opuściła ani jednego odcinka. I mówi kiedyś: „Obejrzałam całą *Dynastię*, w ani jednym odcinku nie ma żadnej książki; raz tylko dziadek czyta bajkę wnukowi".

Nobla ktoś się spodziewał, czy to był szok?

To był szok. Potem się okazało, że tłumacze i wydawcy ciężko na to pracowali, że nagroda zawsze jest starannie przygotowana. Jesienią 1996 roku Szymborska pojechała do Zakopanego, gdzie wiadomość o nagrodzie zepsuła jej pobyt, zjechało się wtedy wszystko, co żywe. Słynne określenie Bronka Maja: „tragedia sztokholmska". Wisława opowiadała, że zadzwoniła do siostry, by powiedzieć jej o Noblu, siostra przyjęła to ze spokojem i spytała: „A jaka pogoda w Zakopanem?". Wisława wspominała, że to pytanie ją uzdrowiło.

Miłosz był najpierw znany w Ameryce jako tłumacz Zbigniewa Herberta. Wydał antologię *Postwar Polish Poetry*, która w historii poezji amerykańskiej odegrała pewną rolę. Są lata sześćdziesiąte, Herbert zaczyna, Miłosz, poeta przedwojenny, teraz jest na emigracji i w świecie zaczyna istnieć tylko jako tłumacz Herberta. Zdawać by się mogło, że przed Herbertem otwierają się wszystkie drogi, a przed Miłoszem, kto wie? Ale jak to czasem w życiu bywa, wychodzi odwrotnie. Miłosz, również dzięki pracowitości i żelaznemu zdrowiu, zaczął iść w górę. A Herbert, kto wie? W Polsce dzieła Miłosza były nieosiągalne, tak naprawdę zaistniał dopiero po Noblu. Wcześniej był znany tylko w wąskich, akademickich kręgach. Istniał niemal całkowity zapis na jego nazwisko; było wielkim świętem, gdy na łamach „Twórczości", czyli pisma nierozlegle czytanego, ukazała się w tekście fraza: „jak powiada autor *Ziemi Ulro*". Cenzura to puściła – Jezu, jakie wydarzenie, obeszliśmy cenzurę, bo nikt tam nie wiedział, co to *Ziemia Ulro*! W końcu Miłosz dostał Nobla i to była pierwsza bramka śmierci dla Herberta. Druga padła szesnaście lat później, gdy Nobla dostała Szymborska, Herbert ciągle żył i czekał. Przyszło mu przeżyć dwie Nagrody Nobla dla kolegi i koleżanki, w tym dla kolegi, który był jego tłumaczem. Ci, co widzieli, opowiadali, jak strasznie Miłosz w nim siedział. Tak jak nie każdy uniesie własny mit, tak i tej klęski Herbert nie dał rady unieść, zwłaszcza jeszcze przy jego kruchej kondycji psychicznej… Pisał potem rzeczy rozpaczliwe, jak sławetny *Chodasiewicz*. Stanął w szeregu z dziwnymi postaciami. Później Miłosz pożarł się jeszcze z Herlingiem-Grudzińskim. Wszyscy ze wszystkimi tak wymarzoną wolność spożytkowali, że się ze sobą nawzajem pożarli.

W „Wysokich Obcasach" przeczytałam niezwykle ciekawy artykuł o eksperymencie młodej pisarki, która wysyłała książkę różnym agentom i wydawnictwom pod swoim nazwiskiem i pod nazwiskiem męskim. Na podstawie liczby i treści odpowiedzi dowiodła, że mężczyźnie jest osiem razy łatwiej wydać książkę niż kobiecie, książkę o dokładnie tej samej zawartości. Seksizm w literaturze?

Fakty są nie do odparcia. Moim zdaniem eksperyment miał od początku jasny wynik. Miażdżąca liczebna przewaga mężczyzn w literaturze zawsze, od wieków, nie wynikała tylko z ich przewagi literackiej, ale też z trybu edukacji i wychowania. Maskulinizacja życia trwała wieki.

Zgoda, ale teraz mówimy o roku 2015.

To są ewidentnie pozostałości. Teoretycznie jest równo, ale praktyka pokazuje zupełnie co innego. Dziś dla nas jest niewyobrażalna sytuacja, w której kobiety nie mają praw wyborczych, a nie miały ich nie w tysięcznym roku, ale raptem sto lat temu, w dwudziestym wieku. To samo ze studiowaniem – pierwsze studentki to koniec dziewiętnastego wieku. Wiele zaniedbań i dysproporcji, nie tylko literackich, będzie jeszcze długo ciążyć. Niby idzie naprzód, ale idzie powoli. Jednakowoż idzie. Dawniej nie szło. Jak wiadomo ze słynnego eseju Virginii Woolf o rzekomej siostrze Szekspira: gdyby taką miał i gdyby pisała dokładnie to, co on, nie miałaby szans na nic, niczego by nie wystawiono, słuch by zaginął.

Dlaczego literatura pisana przez mężczyzn jest literaturą, a ta pisana przez kobiety, w dodatku z – nie daj Boże – kobiecą bohaterką, jest „literaturą kobiecą"?

Nie umiem inaczej odpowiedzieć na to pytanie jak tylko tak, że w języku zostały ślady dawnych dysproporcji… Prócz tego idą przecież boomy kobiece… jak to inaczej powiedzieć?

Wracając do punktu wyjścia: gdzie ten eksperyment miał miejsce, w Anglii? No tak – układanka układa się w logiczną całość. Przychodzi mi mianowicie do głowy pewna myśl: agenci mogli być w przeważającej większości gejami, dlatego odpowiadali chętniej na debiut chłopca. Bo jednak jakbym ja był agentem, to przepraszam bardzo, ale odpowiadałbym głównie dziewczynom. Gdyby książka była na dobry, to za płeć podwyższyłbym ocenę na dobry plus i zaproponował spotkanie w celu omówienia właściwej redakcji tekstu. Gdyby mężczyzna napisał na dobry, to za płeć obniżyłbym na dobry minus i próbował mu uświadomić, jak olbrzymia praca go czeka.

Dlaczego teraz żartujesz? Pytam o poważne rzeczy.

Ja odpowiadam poważnie! Za płeć się płaci. Trzeba
było posyłać książkę do agentek, chociaż z kolei one
mogły okazać się lesbijkami…

Poza tym jednak kobiety piszą. Jak już ktoś jest
w tej pierwszej lidze, polskiej czy światowej, to wielkość jest niepodważalna: Virginia Woolf, Emily
Dickinson…

Jedna w poezji i jedna w prozie?

Jeszcze Alice Munro, noblistka, wielka pisarka! Czekaj, popatrzę na własną bibliotekę, jadę od góry:
Mrożek, Proust, Puszkin, Mann… Mrożek – kom-
pletne dziwadło, Proust – gej, wiadomo, Mann – też
wiadomo, jeden hetero Miłosz – choć niedoszła ofiara
Iwaszkiewicza, tenże Iwacha obok niego – wiadomo
do potęgi. Dalej Tołstoj, nadal żadnej spódnicy, choć
i ze spodniami rozmaicie. Gombrowicz – wiadomo.
Zauważ, że tu przewaga mężczyzn jest dziwną prze-
wagą, ci mężczyźni to niekoniecznie mężczyźni stu-
procentowo „męscy". Wiem, że mówienie o gejach,
że mają w sobie pierwiastek kobiecy, to archaizm, ale
w kontekście literatury niepodobna się nad tym nie
zastanowić. Jedziemy dalej: Kundera, Dostojewski,
Nabokov, Capote – o, znowu! Potem Cervantes – już
boję się sprawdzać. Flaubert – ten przynajmniej zajadły ruchacz hetero, złapał syfa, jak był na wycieczce,
w zaistniałej sytuacji to niemal powód do dumy.
Hemingway – uwaga – zdemaskowany gej, stąd ta
oszalała męskość na przykrywkę, ostentacyjny kara-
bin i broda. Nadal żadnej kobiety.

Maria Dąbrowska?

Jej akurat nie mam. Dąbrowska była, nawiasem mówiąc, lesbijką, żyła z Anną Kowalską, niemal legalnie, wszyscy wiedzieli. Wniosek stąd taki, że podział płciowy w literaturze nie jest do końca jasny. Kobiety poza tym – tak mi się zdaje – bardziej straceńczo traktują swój talent, łatwiej go gubią, bez specjalnego bólu odpuszczają.

Dlaczego określenie „literatura kobieca" ma wydźwięk pejoratywny?

Powtarzam, choć zacznę od innej strony. Otóż ja bardzo lubię grające w piłkę kobiety. One grają mniej więcej tak, jak grały męskie drużyny mojego dzieciństwa: inaczej, trochę delikatniej. Dziś w piłce nożnej trwa niesłychany rozwój atletyczny, wytrzymałościowy: zawodnik jak gra, tak gra, ale najpierw go trzeba nauczyć, żeby nie zdechł, kiedy będzie w upale biegał przez dziewięćdziesiąt minut. Każdy ma przypięty na treningu do dupy licznik i musi zrobić określoną liczbę kilometrów. Oczywiście kobiety w piłce też są coraz mocniejsze, ale mimo wszystko grają ładniej w sensie elegancji, techniki, czystsze podania, strzały może nieco delikatniejsze, ale za to celniejsze. Jeśli popatrzymy na filmy z lat pięćdziesiątych, na to, jak grała Brazylia, to zobaczymy, że oni po polu przeciwnika chodzili na piechotę.

Prawdopodobnie jest coś takiego, że literatura kobieca jest nieco mniej atletyczna, mniej siłowa. Ale przecież w Polsce wiele mówi się o kobietach piszących: oczywiście Szymborska na czele, ze swoim

Noblem, są też Olga Tokarczuk, Manuela Gretkowska, Dorota Masłowska, Joanna Bator.

Kobiety mogą wnieść do literatury coś, czego nie dają mężczyźni?

Przed chwilą, pokazując własną bibliotekę, udowodniłem, że literatura jest dyscypliną nieczystą pod względem płciowym.

To ma być argument za tym, że mimo dysproporcji liczebnych kobiecość była obecna w literaturze?

To ma być argument za tym, że literatura jednak była i jest dla – jakkolwiek to brzmi – nieco popapranych osobowości. Piszesz książkę po to, by przed czymś się bronić albo żeby przeprowadzić jakiś atak, albo żeby uwieść, albo zdobyć niezależną duchowo pozycję. Nie ma czystego podziału: mężczyźni – kobiety, i tu chyba jestem niepoprawny politycznie.

Dlaczego? Pisarze, których wymieniłeś, byli gejami, co w tym niepoprawnego politycznie?

Byli gejami, ale – w myśl poprawności politycznej – byli takimi samymi facetami jak wszyscy inni.

Miałeś kiedyś kobietę szefa?

Raz, gdy pisałem do „Echa Krakowa". Naczelną była Teresa Stanisławska, wybitna krakowska dziennikarka. Była jednym z najlepszych szefów, jakich miałem w życiu.

JAK SIEDZĘ, TO NOGI MI NIE CHODZĄ

W warszawskim mieszkaniu
na Hożej, 2014.

Czy jesteś bardzo wrażliwy na ból?

Tak. Nie wiem, na czym to polega, ale nieprzyjemne są dla mnie nawet najprostsze zastrzyki. To może być przewrażliwienie pijaka, którego świat boli dotkliwiej; do tego stopnia, iż niektórzy mówią, że się cackam ze sobą.

Zawsze tak było?

Na pewno trochę się ostatnio pogłębiło. Ale uważny byłem zawsze.

A ból wewnętrzny, depresyjny? Często cię dopada?

Ja właściwie teraz się nie obywam bez bólu. Bardzo źle znoszę świat. Przesadziłem z tym samotnym życiem, za mocno się odizolowałem. Mało ludzi było u mnie na Hożej przez tych kilkanaście lat, odkąd tu mieszkam. Wczoraj na przykład był tłum, bo najpierw ty, potem Andrzej Franaszek, który przychodzi

tak, jak trzeba do mnie przychodzić, czyli po stopnio-
wym, obopólnym namyśle.

Wydaje mi się, że wszystko wokół nas jest ema-
nacją stanu ducha, a stan ducha chorego człowieka
jest kiepski. Teoretycznie oczywiście wiem, że wszyscy
umrą, ale teorie niekiedy zawodzą. Z kolei z mojej
klasy, do której chodziłem w Wiśle, prawie wszyscy
nie żyją. Więc i praktyka bywa ponura.

Do sześćdziesiątki prawie wszyscy pomarli? Na co?

Prawie wszyscy chłopcy. Głównie z przepicia. Wracając do choroby: ona niczego nie daje, zwłaszcza
nieuleczalna choroba. Aczkolwiek czekamy teraz na
cud. Amerykanie wynaleźli nowe lekarstwo na parkinsona. Jest już ten lek w Europie, ale musi przejść
przez urzędy Unii Europejskiej, może na Boże Narodzenie będzie dostępny. Pozostaje zatem czekanie.
Wszyscy mamy podobną końcówkę; człowiek chory
widzi ją ostrzej, ale niezmiennie liczy na cud. Nawet
najbardziej chorzy, dotknięci nowotworami, kładą
się wieczorem spać z nadzieją, że do rana im przej-
dzie. Obudzę się zdrowy, obudzę się taki jak dawniej.
Teraz czytam powieści Philipa Rotha – on właściwie olewa konstrukcję, pisze raczej moralitety z sę-
dziwym bohaterem w roli głównej. Facet po sześćdziesiątce, nauczyciel, wplątuje się w romans ze swoją
uczennicą. Ona jest Kubanką z rodziny arystokratów,
która wyemigrowała do Ameryki przed reżimem
Castro. Ma dwadzieścia cztery lata, on sześćdziesiąt
dwa. Ona go oczywiście zostawia i potem są jego
rozważania, jakaś wizyta w szpitalu, przyjaciel, który

umiera, i tajemniczy telefon od niej. On się zastanawia, czy w ogóle jej odpisać, czy oddzwonić, i co się okazuje: ona ma raka. Wytną jej całą jedną pierś. On przypomina sobie wtedy, że miał wcześniej takie przygody, jakąś laskę zbajerował i już jadą do niego, a ona w taksówce mówi: „Mam tylko jedną pierś". Są takie książki: pół miłość, pół śmierć. Roth, który w tej chwili jest po osiemdziesiątce, najwyraźniej należy do plemienia niestrudzonych, którzy uważają, że najpierw jest długa młodość, potem krótka starość i śmierć.

W twojej rodzinie ktoś chorował na parkinsona?

Stary Kubica, ojciec ojca, się trząsł, ale wszyscy to kładli na karb picia. Matka opowiadała, że przychodził do apteki, gdzie ona pracowała, i za każdym razem musiała wyjść zza lady i pomóc mu włożyć lekarstwa do kieszeni, bo sam nie był w stanie. Myślę, że to było picie plus parkinson. Przeczytałem gdzieś też, że na parkinsona nie chorują palacze: trzydzieści lat palenia psu w dupę! Tylko dlatego paliłem, żeby nie dostać parkinsona, a dostałem! Chociaż, uściślając, na wszystkich zaświadczeniach od lekarza mam napisane: pacjent chory na drżenie samoistne i pewne postacie parkinsonizmu. To są podobne choroby, ale nie te same.

Od kiedy czujesz się chory?

Pisałem o tym – ręce mi się trzęsły zawsze.

Olecko 2002.

Ale to wewnętrzne, chore samopoczucie.

Od ładnych paru lat. Poszedłem do lekarza, bo szukałem pomocy w sprawie dygotu. Byłem już kompletnie bezradny, życie codzienne stało się właściwie niemożliwe. Nie mogłem zapiąć koszuli, pić bez słomki, wszystko mi wypadało z rąk. Po operacji jest trochę lepiej, przynajmniej jak siedzę, to nogi mi nie chodzą. Ale przez to, że źle mówię, od razu, otworzywszy gębę, narzucam perspektywę człowieka ciężko chorego. Nawet z trumny mówią lepiej.

Jak to jest, gdy ma się stan depresyjny? Niechęć do wstania rano z łóżka, myśli samobójcze?

Klasyczne objawy: zmęczenie, niepokój, nieumiejętność znalezienia sobie miejsca, praca nie uspokaja, i tak dalej. Nieraz myślę, że położyłbym się choć na cztery godziny, by się wyrównać, wyciszyć. Ale tego z kolei nie robię, bo to złe na kręgosłup i złe w ogóle. Lepiej iść na spacer, pochodzić. Pamiętasz swojego sąsiada z ulicy Górskiego, Tadeusza Konwickiego? Mówiłaś, że łaził codziennie, niepoczytalnie, bez przerwy gdzieś gnał. Mnie też to pomaga. Taktownie tego unikasz, ale możemy wziąć z grubej rury i spytać, czy mam na przykład myśli samobójcze. W jakimś sensie oczywiście tak. Z jednej strony nie ma dnia, żebym o tym nie pomyślał. Z drugiej, pomiędzy myślą a uderzeniem w samego siebie jest czeluść nieprzebyta. Ciekawi mnie teoria dotycząca tej kwestii, na jej powierzchowne przestudiowanie potrzeba czasu, nie będziemy go skracać. Zamach na siebie jest zamachem na czas, na zły czas… Czas trzeba – choć on nieubłagany – poprawiać…

Co sądzisz o coraz popularniejszych podręcznikach życia, o hasłach, według których mamy pielęgnować w sobie dobro i wybaczanie, o różnych interpretacjach filozofii zen dotyczących wewnętrznego spokoju i absolutnego ukojenia? Mnie wydaje się to nieludzkie i niemożliwe do osiągnięcia, przynajmniej w tym życiu.

I mnie to kompletnie nie przekonuje. Szczęście wyprodukowane chałupniczo? „Pozytywne myślenie" skrzyżowane z ludową wersją nauk Wschodu? Zen wedle mistrzów z Mławy? Szczęście? A na co mi ono? Kołakowski powiedział: „Życie może być ciekawe, pod warunkiem że człowiek za wszelką cenę nie zechce być szczęśliwy".

Człowiek z natury jest dobry?

Jedynym znanym mi człowiekiem z natury dobrym był dziadek Czyż, ojciec mojej matki. Więc chyba jest dokładnie odwrotnie. Człowiek z natury ma w sobie agresję i wrogość. Życie społeczne polega raczej na zestrugiwaniu negatywnych cech. Popularność koncepcji pocieszycielskich, wyznaczających nowy sens życia, jest dowodem, że, po pierwsze, kościoły chrześcijańskie nie mają nic do zaoferowania, mówią od stuleci tym samym językiem i jest to dla nowych pokoleń coraz trudniejsze do przyjęcia; po drugie, to się bierze z poczucia zagrożenia: życie w kapitalizmie jest wściekle trudne. Oboje mieszkamy w mieście ciężkim dla młodego człowieka, wrogim, pełnym konkurencji. Jak ktoś zapieprza w korporacji szesnaście godzin na dobę, to potrzebuje pociechy. Niepodobna żyć bez elementu odprężenia, radości, elementu zgody ze światem, a też poczucia – mgławicowego chociażby – sensu życia. W związku z czym armia wróżbitów, sekt, awatarów, trenerów osobistych, terapeutów opanowuje świat, rozpleniają się wszędzie.

Leżałeś kiedyś na kozetce u psychoterapeuty?

Nie. Kiedyś, jeszcze w Krakowie, bywałem u mojego przyjaciela Andrzeja Cechnickiego, znanego psychiatry, ale na kozetce nie leżałem.

A dziś?

Dziś tym bardziej nie. Znam przypadki, gdy ludzie z o wiele mniejszym niż moje doświadczeniem zostali psychoterapeutami. Bo teoretycznie mam o wiele większe kwalifikacje do tego, żeby uzdrawiać, niż żeby być pacjentem.

Nie jest trochę tak, że człowiek powinien umieć sobie sam ze sobą poradzić...?

Tak uczą w Wielkopolsce i na Śląsku Cieszyńskim. Natomiast to, że jest nas tylu i jesteśmy tak różni, czyli też słabi, zawdzięczamy postępowi cywilizacyjnemu, naukowemu, każdemu. Historia ludzkości uczy, że przetrzymywali najmocniejsi, słabsi wymierali. Postęp medyczny sprawia, że liczba „uratowanych", tych, którzy dają sobie radę sami, maleje, a rośnie liczba wobec życia bezradnych.

Wielu moich znajomych między trzydziestym a czterdziestym rokiem życia
zaczyna dzień od prozacu albo innych antydepresantów.
Jak było za czasów twojej młodości?

W latach sześćdziesiątych normalny człowiek nie wiedział, że coś takiego istnieje. Bo chyba nie istniało.
Może w jakiejś pierwotnej postaci? Był to jeszcze czas,
że trwali najmocniejsi, słabi się wykruszali. Teraz coraz mniej się wykruszają, za to coraz bardziej potrze-
bują leków uspokajających. Z lekka chorobliwe rzeczy
głoszę, ale niepodobna tak nie uogólnić. Poza tym
jestem z plemienia „kruchych i uratowanych", więc
mogę. Słyszy się o „cywilizacji prozacu" – owszem,
i ten specyfik jest mi znany. Może komuś pomaga.
Proszę bardzo. Mnie bolała głowa.

Ostatnio bywasz u różnych lekarzy, odwiedzasz oddziały szpitalne, widujesz ludzi
obłożnie chorych. Po powrocie ze szpitala, gdzie wymieniono baterię w twoim
wewnętrznym generatorze, mówiłeś o tych wielkich połaciach chorej rzeczywistości,
o ludziach, których nie widzimy, którzy cały czas cierpią, którzy zmagają się z chorobą
dzień w dzień. Łatwiej nam o tym nie myśleć i nie pamiętać?

To jest pewna oczywistość. Świat się składa z różnych
przejawów, odmian i faz życia, kwestia jest, kiedy się
to dogłębniej i boleśniej zauważa. Zauważa się to
bardziej, gdy ze strony zdrowia idziesz w stronę choroby, ze strony pełnej wigoru, upału, karaibskich plaż,
zwinnych młodych ciał wchodzisz w rzeczywistość
szpitalną, rzeczywistość ciał porażonych chorobą,
unieruchomionych albo skazanych na śmierć, na
masakry operacyjne, względnie na wegetację. Jedno-
cześnie ludzkość jest tak skonstruowana, że napę-
dzają ją młodzi i zdrowi, nie starzy i chorzy. Starym

i chorym należy się staranna opieka, szacunek, ale o co w sumie walczymy? O ciało doradcze złożone z mędrców? O kolejne kolorowe pismo niekonwencjonalnie poświęcone chorobie? Albo pismo pod tytułem „Starość"? Z punktu widzenia przemiany świata, pchania świata do przodu jest to daremne, świat przeistaczają młodzi, zwłaszcza młodzi, którym się wydaje, że życie trwa wiecznie. To, że życie jest wieczne, jest za młodu tak strasznie silnym złudzeniem, że jest prawdą. Do pewnych rzeczy mogą się brać tylko młodzi, sprawni, silni. Starcy niech nie przeszkadzają, ich czas minął. Nie wykorzystali go, jak powinni, no i zestarzeli się, a to jest niedopuszczalne. Młodość przygląda się starości zawsze z tym samym rodzajem iluzji – zdaje się jej, że jest wieczna, wiecznie zdrowa, że wie, jak naprawić świat. Starość nie ma żadnych iluzji, oto jej wyższość, dość rozpaczliwa.

Oprócz tłumów nad Wisłą, tłumów nad Bałtykiem, tłumów nad wszystkimi ciepłymi i zimnymi morzami świata są też tłumy wypełniające szpitale. Oczywiście nigdy chorzy nie są w większości, ale stanowią znaczny, zrozpaczony, trudzący się swoją walką o godne chorowanie, starający się jeszcze trochę poistnieć, redukujący swoje możliwości procent społeczeństwa.

A ty sam, kiedy byłeś młodszy i miałeś trzydzieści, czterdzieści lat, zauważałeś chorych ludzi obok siebie? Miałeś okazję, by pochylić się nad tym?

Raczej tego unikałem. Słyszało się oczywiście o jakichś chorobach, które dopadały ludzi po sześćdziesiątce, ale jak się ma trzydzieści lat, to jest to bardzo odległa perspektywa. Nikt nie mógł wiedzieć, że to tak straszliwie łatwo i straszliwie szybko przeleci.

Ostatnie lata mijają coraz szybciej?

Każdy kolejny dzień mija coraz szybciej. Sierpień za chwilę, Boże Narodzenie za pasem. Ja tak czasem mówię niby żartem, ale to jest prawda. Dlatego powtarzam: tylko młodość trwa długo. Na szczęście dzisiaj się to wszystko przesuwa, bo jednak kobieta czterdziesto- czy nawet pięćdziesięcioletnia jest dalej młodą kobietą. Czterdziestka w funkcji dawnej trzydziestki, pięćdziesiątka – czterdziestki.

Właśnie chodzi o to, że nie miał. Nigdy nie był sam. Mógł być w pewnym sensie sam, gdy jego pierwsza żona mieszkała piętro wyżej sparaliżowana, ciężko chora. On się świetnie zachowywał, leczył, doglądał, pomagał, ale nie był sam. Miał dwóch synów, którzy cały czas mieszkali z nim.

Prawdziwa samotność jest, gdy się długo mieszka samemu i nie za bardzo dopuszcza ludzi do siebie.

Sam ją wybrałeś.

To było najskuteczniejsze dla mojej pracy. To znaczy – dostosować świat do zajęcia, które się wykonuje. I ja dostosowywałem świat do mojego biurka, tak jak ty do swoich prób w teatrze. To czasem wychodzi, częściej nie wychodzi: artyści są żonaci, dzieciaci, wykonują różne inne obowiązki. Ja wdawałem się w różne historie, ale żadna nie była na tyle poważna, żeby ktoś tu na stałe zamieszkał.

Dopiero teraz. Przez trzy miesiące byłem w Wiśle i po raz pierwszy wracałem na Hożą bez takich emocji jak dawniej. Wiedziałem, że mam tu swój porządek, swoje książki, swój telewizor – tyle. Ale trochę było mi markotno i poczułem starość w sensie nierównowagi duchowej. Bo nie jest też tak, że chcę się zaszyć w górach, w domu w Wiśle – nie, nie chcę. Byłem sam tuż po pięćdziesiątce – to było dobre, ale może dlatego, że miałem więcej sił i działałem w sposób bardziej skoordynowany.

Z drugiej strony wiele razy mówiłeś, że nie wyobrażasz sobie, żeby ktoś tu mieszkał z tobą na stałe.

Bo tak jest. Ale bywa też czasem źle i wtedy, w tym złym nastroju, zapraszasz kogoś, i dobrze, że ktoś jest obok. Ale nastrój się wyrównuje, patrzysz – a tu skutki błędnej decyzji wciąż dają znać o sobie, to już nie jest dobre.

Zresztą – co tu ukrywać – wiodłem życie raczej nieuporządkowane, życie bohaterów Rotha. Paradoks jest taki, że póki masz te czterdzieści, pięćdziesiąt kilka lat, to uprawiasz to złe życie i nic ci nie przeszkadza. Dwadzieścia lat później jesteś chorym człowiekiem i rozumiesz dopiero wtedy, ile strat poniosłeś, ile krzywd wyrządziłeś i że większość tego była kompletnie niepotrzebna. I że może trzeba było mieszkać w Wiśle i żyć po bożemu.

Poważnie masz takie myśli?

Nie.

Nie wiedziałam, że wracasz do tych spraw.

Wracam, ale też chcę od razu powiedzieć, że wtedy za bardzo nie miałem wyjścia. Jak miałem czterdzieści kilka, to byłem – jak mówi Tołstoj – niestrudzony.

Co bywało takim ostatecznym powodem rozstań?

Między nami mówiąc: odzyskiwałem przytomność. Dochodzę do siebie, patrzę, a tu wysprzątane, wyprane, wszystko jest, zupa ugotowana.

To źle?

To grób.

Masz w życiorysie jakieś decyzje, których żałujesz i których byś drugi raz nie popełnił?

Zawodowo chyba nie mam. Były jakieś ryzykowne wątki, ale bez przesady. Natomiast prywatnie – parę osób ewidentnie skrzywdziłem, pozwoliłem sobie na zupełny cynizm. Poza tym jak już jesteś zmęczony triumfami ciała, to dochodzisz do wniosku, że seks nie jest najważniejszy na świecie. Jest straszliwą siłą, która w jednakowej mierze daje uspokojenie i wzmacnia, jak i może rozpierniczyć wszystko. Ja sobie nie radziłem. Nie stać mnie było na postawienie barier i życie w wewnętrznej równowadze. Jak się z kimś umawiasz, budujesz romans, to cię też destruuje emocjonalnie.

Tego ja nie wiem. Andrzej Franaszek opowiadał mi historię o swoim przyjacielu – spotykają się i przyjaciel pyta go: „Co u ciebie?". A Andrzej, jak to Andrzej, straszliwie narzeka: „To nie wychodzi, to nie wychodzi, tam też nie wychodzi, szamocę się". Na to przyjaciel: „Jak ja ci zazdroszczę! U mnie tylko żona, praca, święty spokój i wiecznie ta sama temperatura".

Jak się człowiek nażre, to tęskni za uporządkowanym życiem. Ale póki jest nienażarty, póty ten głód rujnuje wszystko.

Najważniejszy jest porządek w układzie z samym sobą. Żeby jednak nie musieć żałować na starość rzeczy nie do naprawienia.

Póki pracowałem na uniwersytecie, to miałem poczucie, że nie jestem na swoim miejscu.

Może byłem za młody. Pod koniec mojej uniwersyteckiej kariery rzeczywiście zacząłem odczuwać coś w rodzaju przyjemności, ale wcześniej to była gehenna. Potem już zawsze pilnowałem, żeby być w zgodzie ze swoją pracą.

Kiedy pierwszy raz sięgnąłeś po alkohol?

W szkole średniej chyba, było jakieś wińsko z kolegami. Pojawiła się na to moda, kiedy byłem gdzieś w trzeciej licealnej w Krakowie. Absurdalne miejsca: bramy, szkolna szatnia... Pamiętam, że chowaliśmy flaszki w kozakach naszych koleżanek. Wydaje mi się, że nawet nie tyle chcieliśmy pić, ile zachowywać się tak, jakbyśmy pili.

Co jest takiego fajnego w byciu pijanym?

Faza pierwsza, tak zwane – jak mawiają spece – picie towarzyskie, ma swoje dobre strony: większy luz, większą śmiałość, lekkość. Lotniejszy umysł, w takim sensie na przykład, że opowiadasz kawały, których byś na trzeźwo nie opowiedział. Największy klasowy nieśmiałek łyknie wina i budzi się w nim Don Juan, dziewczęta pół przerażone, pół zachwycone... Są te pierwsze sukcesy, które jeśli się ich w porę nie przerwie, obracają się we własne przeciwieństwo.

A wcześniej? Jakieś imprezy rodzinne?

Nie. Mnie rodzice nie pozwalali nawet czarnej kawy pić, bardzo długo nie znałem smaku alkoholu, a tym bardziej jego działania. Choć w wielu domach w Wiśle, jak pewnie w wielu małych miasteczkach, był zwyczaj, by przyuczać do picia dzieci, stopniowo wdrażać, dawać im po pół kieliszka.

Co czułeś, gdy jako dziecko obserwowałeś pijanych ludzi?
Jak reagowało twoje otoczenie?

Przerażeń nie pamiętam, raczej uczucie politowania. Dziadek, Stary Kubica, był alkoholikiem. Był liderem, bo ostro pili wszyscy. Pamiętam, że w kościele w Wiśle miejsca były ponumerowane i rodziny siadały w swoich ławkach. Dziadek ze strony ojca siadał przed nami i, jak to na gazie, zasypiał, a babka ze strony matki szturchała go z tyłu i budziła… Z jeszcze innej strony był w tym fason: było się na gazie – ale do kościoła się szło. Drugi dziadek miał przez babkę wyznaczony czas na powrót z poczty i leciał biegiem, żeby walnąć dwie sety w Piaście, po czym wracał do domu i zajmował się gospodarstwem. Był na tyle zgłuszony i oddzielony tym alkoholem, że robił wszystko, co do niego należało, ale dzięki alkoholowi miał poczucie bezpieczeństwa i osobności. Prawdziwie pijanego widziałem go raz. Trochę przegiął, położył się spać w środku dnia, co samo w sobie było dziwne, ocknął się koło siódmej wieczorem i spytał mnie, dlaczego nie śpię, przecież jest środek nocy. Słynne pijackie nierozpoznanie.

W latach pięćdziesiątych w takich miejscowościach jak Wisła alkoholizmu właściwie nie leczono. O tyle to zrozumiałe, że alkoholizm nie istniał, problem alkoholizmu nie istniał, byli tylko pijacy, którzy pili za dużo. Byli tacy, którzy źle znosili alkohol, źle na niego reagowali i odchorowywali, ci słabsi, i byli tytani, którzy mogli wypić litr spirytusu i nic po nich znać nie było – prawdziwi mężczyźni. I oni byli w czołówce życia nie tylko towarzyskiego, ale życia w ogóle. Tego konsekwencje do dziś są widoczne. Do dziś leczenie alkoholizmu, wychodzenie z niego jest wciąż niepopularne. Spośród moich kolegów ze szkolnej wiślańskiej klasy chyba piątka umarła przez alkohol.

A kiedy zacząłeś pić z kolegami w liceum, od razu to polubiłeś?

Moim zdaniem ja właśnie nie miałem drygu do samego picia. W liceum czy potem na studiach, jak się zdarzyło pić, to źle reagowałem, ciało odrzucało. Miałem momenty, gdy myślałem, że mi nic nie grozi, bo po prostu nie chcę. Musiałem gigantyczną pracę włożyć w to, żeby się nauczyć przyswajać alkohol bezboleśnie, a i tak nie zawsze mi to wychodziło. Ciężko pracowałem nad przełamaniem bariery wstrętu do wódki.

W trakcie studiów piłeś?

Pamiętam jakieś imprezy, w których uczestniczyłem umiarkowanie. Chodziliśmy raczej z Hanką do Cocktailu na Karmelicką i obżeraliśmy się ciastkami. Papierosy też mi wtedy nie smakowały.

Po studiach zacząłem pracować na uniwersytecie – nie czułem się tam do końca dobrze, w dodatku mieszkałem na peryferyjnym osiedlu Prokocim, gdzie nie było absolutnie nic, a do pracy miałem godzinę. Na Prokocimiu kusiło, żeby po powrocie do domu, wieczorem, napić się jakiegoś kielicha w wąskim gronie przyjaciół. Wtedy zaczęło zaskakiwać. Przypuszczam, że koło trzydziestki byłem już gotów.

Po jakim czasie picia jest się w nałogu?

No, raczej nie po pół roku. Trzeba mocno i starannie wytrenować organizm i przyzwyczaić go do alkoholu, trwa to wiele lat. Na ogół alkoholicy są dojrzałymi ludźmi.

Pamiętasz, kiedy pierwszy raz się zaniepokoiłeś?

Nie.

Kto pierwszy wyraził dezaprobatę?

Prawdopodobnie domownicy. Przecież ja się ukrywałem. Po imprezie wszyscy wracali do swoich zajęć, a mnie trzymało przez wiele dni, wchodziłem w ciągi.

Teoretycznie pierwszy kieliszek wypija się na trzeźwo, i to jest prawda. Ale alkoholik, który wypija pierwszy kieliszek na trzeźwo, jest na ogół tak sponiewierany, jest w takich niepokojach, że iluzja, iż ten kieliszek przyniesie choćby półgodzinną ulgę, jest mocniejsza od świadomości, że to jest złe. Pierwszy jest na trzeźwo, ale pod gigantycznym przymusem stresu. Mechanizm jest taki, że po wypiciu to

*Póki pracowałem na uniwersytecie, miałem
poczucie, że nie jestem na swoim miejscu.*
Kraków 1988.

ustępuje, robi ci się ciepło, wiara w sens życia wraca i tak dalej – aż do urwania filmu.

Mówiąc bardziej ogólnie: myślisz, że w przypadku alkoholików zawsze chodzi o to samo? O tę chwilę ulgi?

Tak. Chodzi o natychmiastowe, szybkie rozładowanie napięcia.

Dlaczego nie działa argument, że sytuacji życiowej, tych „niepokojów" wypicie kieliszka nie zmieni ani o jotę?

Jest iluzja, że źle się czujesz po przepiciu i pijesz następnego dnia po to, by się poczuć lepiej. I to dobre samopoczucie przychodzi w okamgnieniu.

Aż tak?

Siedem sekund. Do momentu gdy potrzeba zwiększenia dawki, ta ulga jest pewna. Przytoczę tu słowa Ola Jurewicza, też schyłkowego człowieka, który mądrze wyznawał: „Ja piję dlatego, żeby móc się napić drugiego dnia". Najpierw człowiek się poniewiera, ale potem jest poczucie wejścia do windy, która rusza i wynosi cię wysoko. Temu się oprzeć jest dość trudno. Budzisz się w złym stanie, musisz ten dzień pokonać i masz szansę od razu. Jeśli nie walniesz, wychodzenie potrwa trzy dni i będzie straszne. Jesteś tak sponiewierany tym, że wypiłeś, że picie kasacyjne jest ratunkiem: wypić i zasnąć.

Kiedy kończy się picie towarzyskie, a zaczyna samotne?

Od świętej pamięci Staszka Barańczaka dostałem rycinę *Drunkard's Progress*: pierwszy kieliszek dla humoru, drugi w towarzystwie dam, przy trzecim już jakiś mały skandal, czwarty – w karty rżnie, piąty – opuszczony przez przyjaciół, szósty – napad na bank z braku kasy, i ostatni – samobój. Przez znawców i terapeutów te etapy są opisane szczegółowo. Picie towarzyskie się kończy, gdy zaczyna się picie niebezpieczne. Czasem się potkniesz i leżysz – niby nic, bo błyskawicznie wstajesz. Potem drobne skandale, potem tolerancja na alkohol spada, wypija się kieliszek, a jest się tak narąbanym jak po pół litra.

Czy na tych dalszych etapach można jeszcze mówić o jakichkolwiek walorach smakowych, czy też jest kompletnie bez znaczenia, co się pije?

Bez znaczenia. Potem chodzi już tylko o moc.

Czy po tych wszystkich przejściach i terapiach zdarzyło ci się kogoś ostrzegać przed piciem?

Nie. Ale oczywiście bywa taka pokusa. Często niepijący alkoholicy zostają terapeutami, kończą te kursy, są wiarygodniejsi. Pierwsze przyjście na mityng AA jest ważnym krokiem: trzeba wtedy odpowiedzieć tylko na jedno pytanie: „Czy uważasz, że masz problem z piciem?". „Tak, mam ogromny problem" – odpowiada alkoholik i dostaje od sali burzliwe oklaski. Dla faceta, który ostatnie lata spędził, leżąc pod sklepem, srając w gacie, wstając o piątej rano, by iść po flaszkę w piżamie, to początek odbudowy godności. Życie alkoholika jest życiem w kłamstwie, w niemoralności, w zdradzie – dla inteligentnego człowieka to jest trudne. Alkoholizm często dotyka ludzi wrażliwych, którzy coś z tą wrażliwością muszą zrobić, żeby zaistnieć – mówię teraz o etapie początkowym, kiedy jeszcze się nad tym panuje.

Ci ludzie, którzy słyszą po raz pierwszy oklaski, potem są poważnie traktowani, potem w jakiś sposób awansują, bo mają za sobą miesiąc, rok, dwa lata niepicia, czują się duchowo i cieleśnie wzmocnieni. Często taki człowiek odczuwa potrzebę bycia terapeutą. Ja nie, bo ja nie mam poczucia wygranej. To byłyby z mojej strony uzurpacja i pycha. Zresztą ja nie mam w sobie głodu bycia autorytetem w żadnej dziedzinie.

Czy myślisz, że problem alkoholizmu rozwiązałaby na przykład prohibicja?

Nie, prohibicja nic nie daje. Stwarza tylko koniunkturę dla nielegalnej produkcji alkoholu, która jest gigantyczna – producenci trochę ryzykują, ale ich dochody są straszliwe. To naiwny i nic niedający pomysł. Pomysłu na rozwiązanie odgórne nie ma. Musiałyby minąć lata wzmocnienia duchowego – co oczywiście jest utopijne. Natomiast można by polikwidować pewne rzeczy, które ewidentnie wpływają na wzrost alkoholizmu. W moim przekonaniu są to – wiem, że zabrzmi to dziwnie – reklamy piwa w telewizji. Nawiasem mówiąc, nie widziałem chyba żadnej słabej, wszystkie są udane z punktu widzenia sztuki reklamy. Jakbym miał osiemnaście lat, tobym się dał nabrać, a od tego się zaczyna.

Czyli piwo też jest niebezpieczne?

Tak. W kraju, w którym piwo nie uchodzi za alkohol, jest arcyniebezpieczne.

PRACZASY

Chałupa moich dziadków w Wiśle to jest
centrum mojego świata, wokół tego krążę.
Piec w domu dziadków Czyżów.

Urodziłeś się w Wiśle, mieszkałeś tam przez pierwszych dziesięć lat życia. Jesteś góralem z Beskidu Śląskiego. Pomyślałeś kiedyś o sobie: góral?

Nie, w tych kategoriach nigdy. Choć mam jedno zdjęcie z dzieciństwa w stroju góralskim.

Ale mówiłeś gwarą. Czujesz jakąś przynależność do tamtejszego folkloru?

Gwarą mówiłem i mówię bardzo płynnie. Miałem zresztą kłopoty po przeprowadzce do Krakowa, bo wtedy mówiłem wyłącznie gwarą. Wydaje mi się, że ten rodzaj dwujęzyczności miał spore znaczenie dla mojego pisania, podchodziłem do polskiego języka literackiego jak do języka obcego. To zawsze jest dobre.

A folklor wiślański? W latach pięćdziesiątych chyba był jeszcze na porządku dziennym? Śpiewy, stroje?

To raczej na uroczystościach i weselach. Śląski ubiór, określony sposób wiązania chustki, czepek, żywotek, charakterystyczne pieśni. Ale ważniejsze niż góralstwo było luterstwo. Śląsk Cieszyński to miejsce, gdzie mieszka najwięcej ewangelików w Polsce.

Dlaczego nie jeździsz na nartach?

Ojciec mnie uczył, a czegokolwiek on uczył – kończyło się fiaskiem.

Piesze wędrówki po górach?

Nigdy tego nie lubiłem. Koledzy szli grać w piłkę, a ja musiałem ze starymi iść na grzyby. To nie jest dobry sposób na wyrobienie w dziecku miłości do grzybobrania.

Kim chciałeś zostać w najwcześniejszym dzieciństwie?

Najbardziej piłkarzem. W krakowskiej podstawówce pisaliśmy wypracowanie na ten niezwykły temat. I miałem sukces literacki, bo spokojnie, ale i z serca, napisałem, że wybieram się do Brazylii, gdzie pod okiem Pelégo będę doskonalił swój talent. Jaś Zasowski ode mnie odpisał, więc byli naśladowcy. Oczywiście gdybym wtedy wiedział, że pół wieku później Niemcy dopuszczą się największej od czasu drugiej wojny zbrodni i wygrają z Canarinhos siedem do jednego, nie byłbym tak naiwny. Ale byłem dzieckiem. Chciałem też być muzykantem, nad ranem chodzić po domach i grać na trąbce albo na waltorni. W Wiśle była orkiestra braci Krzoków, ojciec i pięciu czy sześciu synów. Stary Krzok miał obie złote ręce – jakiegokolwiek rzemiosła się tknął, od razu świetnie je umiał, oprócz tego grał na wszystkich instrumentach, wszyscy jego synowie też na czymś grali. Janek na

Opinia o mnie w Wiśle na początku była trudna.
Wręczenie Honorowej Złotej Cieszynianki,
Wisła 2008.

trąbce, Józef chyba na kontrabasie, choć na co dzień był stolarzem. Kolejny był cieślą, jeszcze inny naprawiał dachy, byli wybitnymi specami. Byli również wybitnymi pijakami, wszyscy, co do jednego. Niemniej granie w tej orkiestrze to była ważna funkcja społeczna i prestiż, a ja w marzeniach dziecka sobie wyobrażałem, jak by to było fantastycznie grać z nimi.

Uczyłeś się kiedyś gry na jakimś instrumencie?

Matka uczyła mnie grać na pianinie.

I jak ci szło?

Nie szło w ogóle. Ćwiczenia mnie wyczerpywały, a matka nie miała zdrowia, żeby ze mną walczyć. Zwłaszcza że ojciec, ewidentnie pozbawiony słuchu, niechętnie patrzył na to, że mógłbym mieć nad nim w czymś przewagę, żebym na czymś grał…

Na pewno chciałem też być stolarzem. Dziadek czasem mnie zabierał na spacer, chodziliśmy po wsi i oglądałem warsztaty stolarskie z tymi strugami, trocinami, z zapachem sośniny, z ewidentnie gotowymi do zbicia deskami – to był żywioł, czułem, że mógłbym pracować w drewnie. Typowe urojenia.

Miałem też jako dziecko zadatki na pastora. Po przyjściu z kościoła potrafiłem wyartykułować coś w rodzaju kazania.

W liceum byłem pewien, że zostanę aktorem. Poszliśmy raz z klasą zwiedzać Teatr imienia Juliusza Słowackiego. Chodziliśmy po tym teatrze i w pewnym momencie weszliśmy do loży, a na scenie trwała akurat próba. Nie wiem, co to mogła być za sztuka, może coś Dürrenmatta. Przy stole siedziało dwóch aktorów, w tym Hugo Krzyski, który budził w nas lęk, bo chodziły słuchy, że jest pederastą. Światło pięknie wydobywało stół i dwie postaci. Nagle drugi z aktorów usłyszał, że jesteśmy na górze, zagrał – jak to aktor starej daty z Krakowa – zdumienie i huknął tubalnym głosem: „Na Boga Ojca, kim panowie jesteście?!". Nie wiedzieliśmy, czy to do nas, czy nie do nas, wybuchła panika, uciekliśmy, ale ja już wiedziałem, że chcę być taki jak ten gość.

Opowiedz jeszcze o tym zdjęciu, które wisi u ciebie na ścianie: młody ty i Bogumił Kobiela.

To było w szkole średniej. Mój stary był kierownikiem klubu kulturalno-oświatowego na AGH, zapraszał na spotkania różnych znanych ludzi. Styczeń 1968 roku. Dobrze to pamiętam, bo następnym gościem miał być Gustaw Holoubek, a jeszcze następnym Leszek Kołakowski, który już nie dostał pozwolenia – *persona non grata* '68. Bogumił Kobiela miał świetnie opracowany każdy szczegół swojego wystąpienia, stopniowo przechodził od roli kompletnie zagubionego artysty do roli faceta, który opowiada dowcipy i rządzi na imprezie. Na tym wieczorze dowiedziałem się, czym się różni aktorstwo filmowe od teatralnego: w filmie trzeba umieć mówić „brudno", a w teatrze „czysto". Pamiętam taki przykład – już sala rozgrzana do białości i Kobiela opowiada: „Kręcimy film wojenny i ja mam powiedzieć do mojego przyjaciela: «Uważaj, bo Niemcy są w drugim pokoju». Klaps, ja mówię tę kwestię szeptem. Reżyser przerywa, chce ciut głośniej. Mówię głośniej i ciągle źle. Skończyło się na tym, że ryczałem na całe gardło: «Uważaj, bo Niemcy są w drugim pokoju!» – kompletny absurd".

W pewnym momencie Kobiela wziął mnie na scenę jako statystę. Grał nauczyciela, który mnie upomina, a ja miałem płakać. Powiedziałem, że nie umiem płakać tak na zawołanie, ale że zasłonię się rękami i będę markował. A on na to: „Ooo! To znaczy, że albo będzie pan wybitnym aktorem, albo nie będzie pan mieć z tym nic wspólnego". I ja się uczepiłem na chwilę tej myśli, zwłaszcza że on podał przykłady jakichś ludzi bardzo nieśmiałych, którzy byli świetnymi aktorami. Sytuacja dla młodego człowieka trudna, bo właściwie dostaje wskazanie drogi, którą powinien iść. Ale koniec końców nie oszalałem, byłem aktorem przez pięć tygodni góra. Poza tym z powodu braku talentu muzycznego na egzaminie oblałbym muzykę.

Nieprawda. Masz świetny słuch i piękny głos, wiem, bo słyszałam, jak śpiewasz. Kto pierwszy ci powiedział, że nie masz słuchu?

Matka i ojciec.

Jak już jesteśmy przy słuchu, to przeskoczmy na twój warsztat pisarski. Mówiłeś, że ostatecznie weryfikujesz swoje teksty przez głośne czytanie. Zawsze czytasz na głos?

Teraz mniej, bo mniej piszę.

A przez te wszystkie lata, kiedy czytałeś swoje teksty, co konkretnie weryfikowałeś?

Po prostu słyszysz, jak pierdolisz. Pod okiem różne rzeczy mogą przemknąć, a głos jest bezlitosny. Mnie to pomaga, bo słyszę dobrze melodię zdania, czy mają być przecinki, czy nie, czytam to po swojemu. Dlatego niespecjalnie lubię, jak mi korektorki poprawiają.

Ale ty naprawdę nie umiesz poprawnie stawiać przecinków...

To się łączy jedno z drugim. Nie umiem stawiać przecinków, bo słyszę melodię zdania. Albo słyszę melodię zdania, w związku z czym niepotrzebne mi są przecinki, albo stawiam je w miejscach, gdzie nie powinno ich być. Nie mam znowu takich ambicji, żebym przecinkami załatwiał jakieś przesłanie do czytelnika.

Czy pamiętasz pierwszą myśl o zostaniu pisarzem? Stopniowo rodziła się ta decyzja czy był to jeden moment?

To jest trudno uchwytne w moim wypadku. Jakiegoś takiego jednego momentu, jakiejś iluminacji pisarskiej nie ma. Nie ma też jednego spektakularnego momentu, który zdarza się w przypadku tak zwanych głośnych debiutów. Ja po prostu bardzo wcześnie, już w szkole średniej pisałem. A wcześniej masę czytałem – czytanie jest siostrą pisania. Nie zaczniesz pisać, dopóki nie nauczysz się czytać. Ja mnóstwo książek czytałem w dzieciństwie, szczerze mówiąc, miałem takie momenty, kiedy czytałem wszystko, co mi tylko w ręce wpadło, w straszliwym tempie, gwałtownie i nie zwracając uwagi – jak to lektura dziecka – na autora. W ten sposób przeczytałem książkę ze szczątkowego księgozbioru na strychu naszego domu w Wiśle; trafiłem tam na dzieło bez okładki, bez tytułu i bez autora – jak się później okazało, byli to *Chłopi* Władysława Reymonta.

Z ulubionym wujem –
księdzem pastorem Andrzejem
Czyżem, Wisła, koniec lat 50.

Bardzo. Brała mnie nie tyle stylizowana gwara, ile zmysłowe napięcia w licznych wariantach.

Chyba większość. Raczej miałem do czynienia z postaciami nietuzinkowymi niż tuzinkowymi. Domownicy, dobrze lub źle żyjący z sobą, ale mocno trzymani za mordę przez moją babkę, sąsiedzi, koledzy… Gdzie nie dziubniesz, tam albo biskup Wantuła, albo Marian Stala, albo mój kolega z klasy Jurek Cieślar, albo pani Mazurowa, wychowawczyni, cała kupa ludzi. Urodziłem się w Wiśle, arcyciekawym miejscu, i z natury rzeczy – na początku lat pięćdziesiątych – w arcyciekawych czasach. Ale czy dla człowieka piszącego są miejsca, czasy, rzeczy, ludzie – jego miejsca, jego ludzie, jego czasy, jego rzeczy – niewarte uwagi? Wszystko, co się znajdzie w polu jego widzenia, ma metafizyczną nadwyżkę.

Był czas, że w domu moich dziadków ze strony matki mieszkali: rodzice – Jerzy Czyż i Maria z Chmielów *primo voto* Chlebkowa, dzieci – Andrzej, Adaś, moja matka i Władek, syn babki z pierwszego małżeństwa, plus starzy Chlebkowie, osiem osób w sumie. Starzy Chlebkowie – rodzice pierwszego męża mojej babki – umarli w czasie wojny naturalną śmiercią. Sytuacja wcześniej była trudna, babka pochowała męża, który miał wypadek na motorze, po dwóch latach wyszła za mąż za mojego dziadka i sprowadziła go do domu teściów, których w dodatku cechowało gwałtowne usposobienie. Ale w ten sposób przejęła całe to gospodarstwo.

Po kim ze swojej rodziny odziedziczyłeś talent literacki i dar opowiadania? Ktoś próbował pisać?

Ojciec miał dryg, próbował prowadzić dziennik. Napisał jedno opowiadanie...

Czytałeś?

On mi czytał. Dawno temu, kiedy jeszcze łączyły nas cywilizowane relacje. Po pięćdziesięciu latach nadal dobrze je pamiętam. Główną drogą w Jaworniku idzie pogrzeb. Pełna gala, pieśni żałobne, trumna się kolebie na ramionach... A za węgłem grupa miejscowych żartownisiów czeka na moment, by wypuścić na ten kondukt kundla, specjalnie wyszykowanego, ozdobionego bibułkami, welonem i innymi dodatkami. Puszczają go i całą tragiczną grupę ogarnia niepohamowany, rosnący śmiech. Opowiadanie kończy się jak do cna ubawieni pogrzebnicy stawiają trumnę na drodze i ze śmiechu walą w wieko pięściami. Kiedy ćwierć wieku później przeczytałem początek opowiadania Płatonowa: „Natura nie obdarzyła Fomy Puchowa zbytnią czułostkowością: na trumnie żony krajał gotowaną kiełbasę, przegłodziwszy się na skutek nieobecności gospodyni", zrozumiałem, jakiej estetyki jestem zakładnikiem.

Kto jeszcze opowiadał, miał podobną do twojej wrażliwość?

Ojciec to opowiadanie zniszczył. Prawdziwa literatura trzymała się go krótko, czytał w koło Manna,

Ojciec próbował rozbudzić we mnie męskość:
kupił mi piłkę nożną i fiński nóż, żebym wreszcie kogoś
dźgnął. Z ojcem w Wiśle Parteczniku, 1960.

Wisła 1960.

ale poglądów autora od poglądów jego bohaterów nie odróżniał. „Literatura ma służyć wyrażaniu czci i chwały" – powtarzał, nie za Mannem przecie, ale za poczciwiną Serenusem Zeitblomem, narratorem *Doktora Faustusa*, i jak tylko mógł, wyrażał cześć i chwałę Pilcha Władysława. Wielką narratorką była babka Czyżowa. Jechała równo, absolutnie bez selekcji. To znaczy, jak opowiadała, że w środę wyszła na targ, to poza osią historii jest: jak wstała, co zjadła na śniadanie i co było przed targiem, potem kogo spotkała po drodze, jego dokładny życiorys i życiorysy jego bliskich i co ten ktoś jej powiedział i co w tych rodzinach się dzieje, że na przykład jednego syn popełnił samobójstwo. Wszystkie te historie były dokładnie opowiedziane; wielkie opowieści dygresyjne, w których autorka nigdy się nie pogubiła. Nieraz nikt nie wiedział, o co chodzi – ona wiedziała. Matka ten morderczy styl odziedziczyła, z tego, co wiem, skutecznie pisze dziennik.

A jakieś inne talenty artystyczne w rodzinie? Rysowanie, muzyka? Czy może u ewangelików to w ogóle nie było popularne, żeby iść w stronę sztuki i uprawiać ją zawodowo?

Nie było popularne. Nikt z mojej rodziny nie wybrał świadomie artystycznej drogi. Ojciec nieźle rysował. Był mniej więcej na poziomie Zbigniewa Herberta, wielkiego poety i kontrowersyjnego rysownika. Pewien talent muzyczny miała moja matka, grywała na pianinie, ale też nie przyszło jej do głowy doskonalić się w tym kierunku.

Czy ktoś cię w ogóle zachęcał do pisania? Podziwiał?

Nikt. To był niepewny wybór, słaby fach. Chyba jedynym człowiekiem, który mnie zachęcał, był biskup Wantuła. Mówił, że to może być ciężki kawałek chleba, ale może też nie być aż tak pesymistycznie, jak to wszyscy widzą.

Pytam, bo jesteś teraz jednym z najwybitniejszych polskich pisarzy, masz swój rozpoznawalny język, swój pisarski świat, i ciekawa jestem, kto z twoich bliskich pierwszy to zauważył. Czy raczej docierało to do nich stopniowo?

Serdeczne dzięki. Moja matka przeszła długą drogę jako matka pisarza. Na początku była pełna sceptycyzmu, nie lubiła tego pisarstwa w całości, bo też w moich książkach są różne znane jej pierwowzory, nieujawnione, niewymyślone. A dziś? Muszę powiedzieć, że mało jest takich sojuszników mojej twórczości jak ona, i to jest czasem daleko idące. Rozmawiamy przez telefon i ona mi opowiada o tym, co w Wiśle, że ta a ta umarła, ta a ta wróciła, ale matka za nią nie przepada. Pytam dlaczego. Matka na to, że ta osoba niefortunnie wyraziła się o mojej *Bezpowrotnie utraconej leworęczności*, gdy książka wyszła. Rozumiesz? Prawie dwadzieścia lat temu. Znaczy to, że matka ma spisaną listę moich wrogów i tym się kieruje.

A ty sam? Pamiętasz, kto i kiedy cię krytykował?

Podobać się wszystkim – tragedia. Wrogów musisz mieć, ich liczba i jakość są rękojmią twojego znaczenia. Z tym u mnie średnio, a nawet całkiem cienko.

Zależy w jakiej – jak mawia Lech Wałęsa – klasie. W klasie ducha ewangelicki biskup Andrzej Wantuła. Na pewno paru starych gazdów z Wisły, niektórzy mogli mieć wtedy nawet czterdziestkę. Pan Kowala na przykład – partyzant, stolarz, mędrzec. Jeździł mercedesem i był autorytetem nawet dla babki Czyżowej, a wyżej nie ma. Kogo się podziwia, a kto jest autorytetem? Podziwiałem Jana Pawła II, ale autorytetem, nawet dla tak marnego jak ja ewangelika, nie był. Piłkarze byli ważni. Ernest Pohl oczywiście, zawodnik Górnika Zabrze, „zabrski bombardier". Autor trafnego, acz pozbawionego samokrytycyzmu aforyzmu: „Ernest pije, ale Ernest gra". Strzelał bramki z trzydziestu, czterdziestu metrów. I Włodzimierz Lubański, który wydaje mi się z perspektywy czasu dziwnie niedoceniany. Dla mnie wzór.

Pisarze. Autorytetem był Miłosz – w takim sensie, że lubię to, co pisał, i pasuje mi jego pogląd literacki. Autorytetem był Kornel Filipowicz, jedyny pisarz, do którego nosiłem swoje próbki literackie. Czasem pytają mnie, jakim cudem go wybrałem, skoro jego pisanie jest tak dalekie od mojego pisania. On był prozaikiem z ducha czechowowskim, pisarzem realistą. Ale był autorytetem; jak młody człowiek chce zostać pisarzem, to występuje cały szereg okoliczności, które go wabią do tego zawodu, Kornel wszystkie warunki spełniał: wygląd, mieszkanie, regały, papierosy, kawa, biurko zawalone tajemniczymi przedmiotami. Cały ten rynsztunek, który chciało się mieć. Pisarz buduje swój świat na wielu poziomach. Przywiązuje wagę do

Z ojcem w Warszawie, ok. 1962.

okoliczności zewnętrznych tego zawodu, na przykład: o jakich porach i jak pracuje?

Robiły na mnie wrażenie książki o pisarzach. Podstawową taką książką, pisaną z prywatnej perspektywy – niektórzy z moich kolegów ryzykownie wyznawali, że to jest ich podręcznik – była *Alchemia słowa* Jana Parandowskiego. Dziś już bym tego nie czytał, ale przeczytałem w liceum, pewne wrażenie zrobiło. Była tam mowa o różnych pisarskich dziwactwach, na przykład o słynnych nadpsutych jabłkach – nie pamiętam już kto, Fryderyk Schiller chyba, musiał mieć w szufladzie kilka zgniłych jabłek, to go podniecało do pisania. Dziś po nim chyba nawet tej aury robaczywek nie ma. Kto go dziś czyta? Nikt… Ale kiedyś czytał go Mann, a Manna wciąż jeszcze czytamy – na tym z grubsza polega tradycja literacka.

Jest takie pojęcie sformułowane przez Zbyszka Mentzla: Gombrowicz, wielki nauczyciel. On, jako wzorzec pewnej postawy pisarskiej, niezależności, indywidualnego spojrzenia i pilnowania samego siebie w sensie formułowania poglądów czy opinii, niewątpliwie był autorytetem, bardziej niż jakikolwiek klasyk. Bliżej zacząłem interesować się Gombrowiczem, gdy umarł, w roku 1969, pamiętam nekrolog w „Twórczości". Snadź cenzura puściła. Ale książki jeszcze długo były praktycznie niedostępne. *Dziennik* i *Trans-Atlantyk* – w dziedzinach autobiografii i stylizacji to absolutne arcydzieła. Opowiadaczem był żadnym, przy takich tytanach, jak Bunin, Nabokov, Iwaszkiewicz czy wyśmiewany przeń Borges, nie umiał nic. Jedno opowiadanie – *Zbrodnia z premedy-*

tacją – w spadku? Skromnie. Drażnił go Sienkiewicz –
i słusznie, najtęższy w dziejach literatury polskiej opo-
wiadacz powinien był drażnić chudzinę. Notabene
Sienkiewicz – kurdupel z wyraźną skłonnością do lo-
lit i innych hajduczków – drażnił wielu, na przykład
Stanisława Brzozowskiego, skądinąd też karła i agenta,
ale nade wszystko zaciekłego grafomana.

Gombrowicz to prozaik raczej kunktatorski, bez
rozmachu. Rozmach to nie jest jakaś intelektualna
kategoria; nie jest to też kwestia objętości – nikt przy
zdrowych zmysłach nie powie, że Babel czy Schulz
nie mają rozmachu. Ale powieściopisarz bez rozmachu zawsze będzie, jak mawiał Iredyński, wicechujem.

Autorytet to „Tygodnik", cała redakcja starego
„Tygodnika Powszechnego". Moimi szefami byli Jerzy
Turowicz i Krzysztof Kozłowski – samo to! Hennelowa, Pszon, Woźniakowski, Bartoszewski – postacie
onieśmielające. Moich dziesięć lat w „Tygodniku" to
był czas rozstrzygający.

Do jakiego stopnia znana osoba może mówić i pisać cierpko o swojej rodzinie?
Brałeś pod uwagę ich opinie, przejmowałeś się nimi?

Muszę powiedzieć, że przyzwyczajanie ich do mnie
długo trwało. Da się tę sytuację sprowadzić do tego,
że ci, którzy są blisko z pisarzem, reżyserem czy
jakimkolwiek artystą, mają trudno, a najbliżsi mają
najtrudniej. Widzą, z czego on czerpie, skąd pocho-
dzą rozmaite drastyczności, które tylko on pamięta,
na czym, na jakich wstydach opiera fabułę itd. Ten
problem istnieje zawsze. Druga sprawa to wyruszenie
w świat z małej miejscowości i próba radzenia sobie

Z żółtą futbolówką w Wiśle,
mam 10 lat.

z tym światem. W dzieciństwie miałem to z Krakowem, w wieku średnim z Warszawą. To często budzi lęk i mechanizmy zakotwiczania się w wielkim mieście są lękowe. Ale ja mam zawód leczący lęki – homeopatycznie, bo homeopatycznie, ale leczący.

Na moje pisanie rodzice reagowali tak, jakbym pisał jakieś wypracowania szkolne: mam się starać napisać tak, żeby dostać piątkę od nauczyciela. Cokolwiek spornego czy kontrowersyjnego, czy negatywnego – to nie. A problem jest taki, że tylko rzeczy sporne dają szansę. Oczywiście ich nie wybierasz – nie można kalkulować własnej kontrowersyjności czy agresji, trzeba iść za pisarską ochotą. A z ochotami bywa różnie.

Słyszałeś kiedyś pretensje o to, że opisałeś sąsiada albo kogoś z rodziny?

Opinia o mnie w Wiśle na początku była trudna. Uważali, że ja się naśmiewam z ewangelików, niespecjalnie przy tym czytając moje książki, czytelnictwo nie jest tam przesadnie rozpowszechnione. Długo trwało, zanim mi trochę odpuścili. Ponieważ jest to ludek pragmatyczny, pierwsze przełamanie ewidentnie nastąpiło po nagrodzie Nike – jednak wziął konkretny grosz. Nagle zacząłem mieć licznych kolegów, okazuje się, że w mojej szkolnej klasie było – jakby policzyć wszystkich, którzy się do tego przyznają – około pięciuset osób. Długo zadawano mi też pytanie, po co demaskuję alkoholizm u ewangelików.

Może kilku felietonów, które były przesadne. Może czasem byłem za ostry. Na przykład w sporze z Michałem Pawłem Markowskim, wybitnym eseistą, czasem trochę niezrozumiałym, piszącym swego czasu felietony w „Tygodniku Powszechnym". Felietony wychodziły mu różnie i po pewnym czasie z jakichś powodów postanowił zakończyć to pisanie. W ostatnim felietonie ogłosił tę decyzję, była tam również kąśliwość pod moim adresem – wiadomo, pracowałem wtedy w „Dzienniku" i zarabiałem milion euro na godzinę. Działo się to akurat w czasie słynnego rękoczynowego konfliktu Michała Pawła Markowskiego z Antonim Liberą, gdy chodziły głosy przewidujące odwrócenie się środowiska od Markowskiego. Ja wtedy poszedłem jeszcze dalej i napisałem felieton, który w zasadzie był tekstem pośmiertnym. Wykorzystując cytaty z jego pożegnalnego felietonu, napisałem nekrolog Markowskiego; znajomi mówili matce, że bardzo wzruszający, płakali. Dziś nie miałbym śmiałości pisać o żywym człowieku nekrologu.

Bo jestem za blisko tamtego świata.

Prapierwsza była pewnie opowieść o wyjeździe do Brazylii. Niby zadanie, a pisane w ochoczym trybie. Wszakże piłka nożna w tym tekście ewidentnie ważniejsza była od literatury. Powiem teraz rzecz ciekawą – choć w sensie artystycznym nie miało to znaczenia, bo niczym nie zaowocowało – ale pamiętam ten stan nastawienia na tajemnicę, na widok, na pejzaż. Myśmy bardzo często z rodzicami, a już w każdą niedzielę obowiązkowo, chodzili na spacery, zawsze w kierunku kopca Kościuszki i Woli Justowskiej, ulicą Królowej Jadwigi, która miała bardzo dziwną architekturę. Masa opuszczonych przedwojennych domów, pustostanów. Było wśród nich jedno tajemnicze domostwo, chyba kloszardzi je zamieszkali, bo jakieś światełko po tej ruinie wędrowało. I ja po powrocie próbowałem to rysować, odtwarzałem te domy z pamięci. Nie umiałem tak rysować, żeby na przykład

W kościele ewangelickim w Wiśle-Uzdrowisku
podczas ślubu wujka Jerzego Pilcha, lata 70.
Siedzę z matką w pierwszej ławce. W trzeciej ławce
drugi z lewej Jasiu Krzok.

w twarzy ludzkiej podobieństwo złapać, ale martwe natury, pejzaże – to sprzyjało moim umiejętnościom. A ponieważ niemal wszystkie domostwa były puste, nie łamałem zasady realizmu. Zatem pierwsza faza była krótkotrwała, ale wyraźna, bo dobrze ją pamiętam: fascynacja rysunkiem i tajemnicą krakowskich domów. Te rysunki gdzieś przepadły, na zawsze. W Krakowie chowałem się w dwóch pokojach na ulicy Smoleńsk. Specjalnie nigdzie nie chodziłem, czasem zimą chłopcy robili ślizgawkę w sąsiedztwie, latem piłka i Błonia, ale większość czasu spędzałem w domu. W takich okolicznościach człowiek się uwrażliwia na pewne stany. Któregoś dnia, pamiętam, o szarej godzinie popołudniowej niepostrzeżenie napisałem jakiś wiersz. Mogłem mieć około czternastu lat. A potem wpadło mi w ręce pismo „Na przełaj". Mieliśmy zwyczaj kupowania chyba wszystkich gazet, jakie wychodziły. Ojciec, z czasów zdaje się jeszcze studenckich, przyjaźnił się z Panem Kaziem. Pan Kaziu był kioskarzem, nie dopuszczał myśli o zmianie swojego kiosku, który był okrągły i miał wielkość pocisku artyleryjskiego, na inny. Proponowali mu zaszczytny, olbrzymi kiosk „Ruchu", na co on pokazywał, jak wiele ma jeszcze miejsca w swoim okrąglaku. Miał charakterystyczną, asymetryczną twarz i z racji tej twarzy dorabiał sobie jako model na Akademii Sztuk Pięknych, studenci rysowali go z każdej strony. Ale chodziło mi o coś innego: Pan Kaziu kochał pieski. I zawsze zimą, gdy wydawał gazety, pod jego obszerną kamizelką chował się psi łeb. Trzymał w tej ciasnocie dwa, trzy psy. W przeszklonym kiosku „Ruchu" nie miałby intymności. Słynna była jego wypowiedź, gdy Związek Radziecki wystrzelił Łajkę w kosmos. Wyszedł ze swojego kiosku absolutnie wściekły i powiedział wtedy do ojca: „Panie inżynierze – ojciec już wtedy pracował na AGH – nie mogli tam jakiegoś Mongoła wysłać?!". Pan Kaziu zostawiał nam prawie wszystkie gazety, jakie były: „Krakowską", „Dziennik", „Echo", „Politykę", „Współczesność", „Tygodnik Powszechny", „Przekrój", „Panoramę Śląską", „Kobietę i Życie", wszystkie pisma sportowe i czasopisma młodzieżowe, takie jak „Na przełaj".

Plotkarskich wtedy nie było?

Nie. Czasami w popołudniówce „Echo Krakowa" zimą, minus dwadzieścia stopni, dawali na pierwszej stronie miniaturową fotografię jakiejś laski w kostiumie kąpielowym, a pod tym rytualny podpis: „A w Australii pełnia lata!".

Wracając do „Na przełaj": harcerskie pismo, dwutygodnik, na końcu cała strona przeznaczona dla młodocianych grafomanów. Nazywało się to KMA – Klub Młodych Autorów. Pisałem tam głównie ja, świętej pamięci Zdzisław Jaskuła – były dyrektor teatru w Łodzi, umarł niedawno – i też świętej pamięci aktorka Daria Trafankowska.

Jaki był twój pierwszy opublikowany tekst?

Pierwszy był rodzaj pamiętnika, okraszony jakimiś potwornymi uwagami, że ów pamiętnik jest dla mnie święty i że godziny spędzone na pisaniu go to dla mnie najświętsze godziny, że pisanie jest dla mnie obrzędem. Straszne, ale to wydrukowali.

I jakie miałeś wrażenie po tym, jak zobaczyłeś swoje nazwisko w druku?

Mocne i dziwne. Bardzo dobry opis tego stanu jest w książce Dostojewskiego *Zbrodnia i kara*. Raskolnikow pisze artykuł o tym, że zabijanie staruszek może być pożyteczne dla ludzkości, i drukują mu ten artykuł. Jest tam kilka zdań na temat tego dziwnego stanu ducha, gdy Raskolnikow po raz pierwszy widzi swoje nazwisko w druku. Mnie to doświadczenie uskrzydliło.

To pierwszy druk. A wcześniej? Pamiętasz, czy jakaś polonistka uświadomiła ci, że masz szczególny talent, że jesteś lepszy od innych?

To było jeszcze w Wiśle, w podstawówce – druga, trzecia klasa. Chociaż chodziło nie tyle o pisanie, ile o opowiadanie bajek, podobno bardzo pięknie opowiadałem. Do tego stopnia, że pani Mazur świętej pamięci, która była moją wychowawczynią, korzystała z tych umiejętności – „dziecka" siedziały jak zahipnotyzowane i słuchały, jak im te bajki opowiadam.

Co to były za bajki? Wymyślane przez ciebie?

Nie. Tu był pewien problem natury, powiedziałbym, moralnej. Nie tyle je wymyślałem, ile znałem na pamięć. Przeczytałem raz i zapamiętywałem, słowo w słowo. Nawet gdy nie wszystko rozumiałem, jak w *Przygodach Sindbada Żeglarza*: „Powiódł ją po stopniach i poślubił". Do dziś nie wiem, po jakich stopniach ją powiódł, grunt, że poślubił.

Połowa lat 60.

Aż tak daleko w przyszłość nie wybiegałem, myślałem raczej zadaniowo, co mi zresztą zostało do dzisiaj, pewna cecha charakteru. Poza tym czułem się wtedy pisarzem – w końcu publikowałem w gazecie – i postanowiłem wszystkie gatunki, jakie w ogóle istnieją, wypróbować: prozę, poezję, dramat.

Dramat?

Pod wiele mówiącym tytułem *Mgła*. Krótki, na pół strony.

Na pół strony to ewentualnie ćwierć jednej sceny napisałeś. A wiersze?

Pamiętam ogłoszony w „Na przełaj" *Sen o drugiej Hiroszimie*, mocno zaangażowana poezja. Drzewo się pali, a pomiędzy gałęziami ptak. Dzisiaj bym to wyśmiał. Potem moje pisanie przechyliło się w stronę poezji będącej skrzyżowaniem Baczyńskiego z Grochowiakiem – mowa wiązana, porządne strofy.

Było jeszcze drugie pismo, „Życie Literackie", które Pan Kaziu też nam zostawiał. Jan Majda, który, nawiasem mówiąc, zaatakował Miłosza, że nie Polak, kierował wówczas rubryką „Licealiści piszą" i gorąco zachęcał mnie do współpracy. Zachwycił się moimi wierszami – tak zwany kłopotliwy sojusznik. Uważał, że dawanie pieniędzy młodym autorom jest nieeleganckie, dostawaliśmy książki w charakterze honorarium. Na spotkaniach redakcyjnych – bo i to raz czy dwa się zdarzyło – pojawiał się nawalony Władysław Machejek, ściskał dłoń i mówił: „Uporu życzę, uporu!". Z infantylizmu brało się zaangażowanie społeczne tego, cośmy pisali. Pamiętam opowiadanie nieżyjącego już Jana Zazuli, astronoma: ojciec narratora wyrzuca jakąś fotografię z czasów wojny, na której jest on i amerykański żołnierz, który go wyzwolił. Ojciec jest czysty wewnętrznie i musi to zdjęcie wyrzucić. Bo dziś tacy sami marines są w Wietnamie.

Czy między wami, młodymi pisarzami, była rywalizacja?

Nie. Może to dziwne, ale prawie od początku czułem się dopieszczany.

Między czternastym rokiem życia, gdy drukujesz wiersze w „Na przełaj", a trzydziestym szóstym, gdy wychodzi twoja pierwsza powieść, minęły dwadzieścia dwa lata...

„Na przełaj" to praczasy, wczesne liceum, „Licealiści piszą" to koniec szkoły średniej, zahaczyło o studia. Byłem już studentem pierwszego roku polonistyki, a „Życie Literackie" wydrukowało mnie w rubryce „Licealiści piszą"... To był potworny wstyd, interweniowałem u Majdy, żeby coś z tym zrobił. Potem zobaczyłem, że koleżanki mają ten numer „Życia Literackiego" i czytają, minęło mi. Pisałem recenzje książek, szło się do Włodzimierza Maciąga, który potem został profesorem, albo do redaktora Bogusia Rogatki, oni otwierali szafę i dawali jakieś mało ważne książki do zrecenzowania. Wiedziało się, że Machejkowi, szefowi „Życia Literackiego", gdzie w pewnym sensie debiutowałem, można skoczyć, bo ma wejścia w Moskwie. Wszyscy tam pisali i dzisiaj nie jest ważny Machejek i jego uwikłania polityczne, ważne jest, że na łamach „Życia" publikowali Wisława Szymborska, Jan Błoński, Ludwik Flaszen, Jerzy Kwiatkowski. Typowy błąd ludzi, którzy zajmują się literaturą, rozważając kwestię tego, kto do czego był przypisany. Na przykład Szymborskiej zarzuca się, że napisała jeden czy dwa wiersze o Stalinie i że zdradziła. Otóż młodzi ludzie bardzo chcieli pisać. Jak? Tak jak ich mistrzowie pisali. W latach pięćdziesiątych wszyscy, łącznie z Szymborską, chcieli pisać jak Władek Broniewski, który jeszcze żył i pił. Znali się, czy coś więcej między nimi było – tego nie wiemy, ale zmierzam do pewnej anegdoty, którą opowiadała Wisława. Jest wieczór autorski Władysława Broniewskiego, chyba na AGH – uczelnia techniczna, duża aula, robotników można spędzić. Jadą razem taryfą na ten wieczór, Broniewski i młodziutka Szymborska. Broniewski nawiązuje rozmowę z taksówkarzem, mówi, że jadą na wieczór poetycki, a ponieważ znał świetnie całą poezję polską, zaczyna coś mówić z pamięci, taksówkarz go gasi – to Mickiewicz. Broniewski dalej recytuje, tym razem bardzo rzadkie, rękopiśmienne wersje Beniowskiego – taksówkarz wie. Kilka jeszcze było prób, taksówkarz wszystko rozpoznał. W końcu podjarany Broniewski zaczyna mówić swoje wiersze. Na to taksówkarz z politowaniem: „To będzie Broniewski, znam go, ale go nie cenię".

W wieku dwudziestu pięciu lat napisałem powieść „Masy upalnego powietrza". Nie wyszły, i to zbawcze, że tak się stało, bo to nie było dobre.

W liceum byłem pewien, że zostanę aktorem.
Z Bogumiłem Kobielą w Krakowie,
17 stycznia 1968.

No właśnie, tu jest pewien problem. Mało, że miała tylko dziewięćdziesiąt stron, to składała się z dwóch nieprzystających do siebie części. Dałem tekst do Wydawnictwa Literackiego, do Czytelnika, do „Twórczości" i do „Miesięcznika Literackiego". Wszędzie miałem bardzo dobre recenzje, że autor obiecujący, że rokuje, że lekkość pióra, że dobrze napisane, ale na druk jeszcze za wcześnie, niech poczeka. Zobaczymy, czy da radę, czy jest prawdziwym pisarzem. Najgłębszą i chyba najlepszą recenzję dał niejaki Zygmunt Ziontek, polonista – bardzo życzliwą, wszakże z wnioskiem na „nie". Posłałem to na adres Iwaszkiewicza, który jeszcze żył, i do „Miesięcznika Literackiego", gdzie pracował wybitny powieściopisarz Władysław Terlecki, o którym chodziła anegdota, że codziennie kupuje w kiosku jedno „Życie Warszawy" i jedną prezerwatywę. Ja wtedy pracowałem w krakowskim piśmie „Student". Ale mówię o tym, bo być może na pierwszy rzut oka wygląda, że dwadzieścia lat nie drukowałem, ale w rzeczywistości pisałem cały czas, tylko były to drobiazgi, recenzje i felietony w pismach literackich.

Był wtedy bardzo popularny rysunek Mrożka o ułanach: stary ułan nogi ma krzywe, jeszcze starszy jeszcze bardziej krzywe, bardzo stary ma skręcone.

Nie rozumiem.

Mają krzywe nogi, bo siedzieli na koniach!

Aha.

I ja napisałem recenzję z polskiego filmu *Bestia* według opowiadania Tołstoja w reżyserii Jerzego Domaradzkiego. Tołstoj w oryginale zostawił dwa zakończenia. Nasi adaptatorzy te dwa zakończenia odrzucili i dali, a właściwie Terlecki dał, trzecie – najgorsze. Ja napisałem pamflet w duchu rysunków Mrożka, że bardzo stary ułan Tołstoj dał dwa zakończenia, stary ułan Terlecki oba odrzucił i napisał swoje, a młody ułan Domaradzki to sfilmował. To jedną ręką, a drugą słałem Terleckiemu „Masy upalnego powietrza". Terlecki bardzo uprzejmie mi odpowiedział, że powieść jest za długa jak na ich gazetę, ale jakiś periodyk literacki na pewno to ogłosi, i zakończył: „Z ułańskim pozdrowieniem – Władysław Terlecki". Przechowywałem ten list!

Bardzo byłeś zawiedziony, że ostatecznie tej powieści nigdzie nie wydrukowano?

Nie. Szczerze mówiąc, nie pamiętam żadnych swoich negatywnych reakcji. Lepiej się stało. Koniec lat siedemdziesiątych i lata osiemdziesiąte nie były dobre dla prozy. Gdyby „Masy" zostały wydane, napisałbym po nich dwie ponure książki o niczym.

Do twojego debiutu, czyli zbioru opowiadań Wyznania twórcy pokątnej literatury erotycznej, *wydanego w londyńskim wydawnictwie Puls, upływa kolejnych dziesięć lat.*

I przez dziesięć lat, raz wątpiąc, raz nie, napisałem dziesięć opowiadań. Poskładałem je na końcu i była książka, wreszcie obszerna.

W międzyczasie dawałeś je komuś do czytania?

Tak, przyjaciołom: Tadeuszowi Słobodziankowi i Marianowi Stali. Słobodzianek za młodu był, tak jak jest i teraz, dosyć bezwzględny. Coś tam mojego przeczytał i powiedział mi raz w knajpie: „Pilchu, będziesz kiedyś wielkim pisarzem, ale jeszcze nie teraz".

Opowiadania trafiły ostatecznie do Pulsu, do Jana Chodakowskiego, na którego w mojej sprawie najbardziej naciskał Zbigniew Mentzel. Przyjaźniliśmy się wtedy i przyjaźnimy do dziś. Poznaliśmy się w latach osiemdziesiątych, gdy współpracowałem z „Polityką", dokąd ściągnął mnie Słobodzianek. Napisałem jakąś polemikę z Mentzlem, teść jechał akurat do Warszawy i zabrałem się z nim, żeby osobiście mu ją wręczyć – takeśmy się poznali.

A czy w ciągu tych dziesięciu lat, pomiędzy dwudziestym piątym a trzydziestym piątym rokiem życia, gdy obserwowałeś swoich rówieśników, kolegów pisarzy, którzy debiutowali i odnosili sukces, nie czułeś zazdrości?
Pytam, bo znam cię piętnaście lat i moim zdaniem jesteś jednym z nielicznych artystów, którzy nie mają w sobie śladu zawiści. Zawsze tak było?

Rzeczywiście, nie przypominam sobie, żebym komuś zazdrościł. Chyba mam inne usposobienie. Poza tym nie pamiętam z tamtego okresu żadnego mocnego debiutu, takiego na miarę Masłowskiej. Może Nowa Fala – ale to byli poeci, a ja wiedziałem, że będę pisał raczej prozę. Nie czułem, że ktoś mi zagraża, wiedziałem, że wszyscy się pomieścimy.

Wielką narratorką była babka Czyżowa,
która całe życie czytała dwie książki:
Biblię i samochodowy atlas świata,
bo akurat był w domu.

To prawie niewiarygodne.

Szukam w pamięci... W 1975 roku wydawnictwo Czytelnik ogłosiło konkurs na powieść, ja nawet nic nie wysłałem, nie byłem gotowy. Z tamtego miotu wypłynęli Jan Komolka i Janusz Anderman. Gwiazdą Warszawy był wtedy Andrzej Pastuszek, który potem wyjechał do Stanów. Natomiast Jan Komolka w 1980 roku wydał tę zwycięską powieść *Ucieczka do nieba* i chyba do dziś pisze drugą. Potem był drugi mały konkurs, na opowiadanie, finałem była antologia *Z korca maku*, byłem w tym finale.

Kto był twoim pierwszym pisarskim mistrzem?

Pierwsza fascynacja to były wiersze Stanisława Grochowiaka. Obejrzałem w telewizji *Chłopców*, z Mrożewskim, Dzwonkowskim i Opalińskim, i zachwyciłem się, ze szkolnej biblioteki pożyczyłem tom wierszy – zachwyt niebotyczny. W domu była powieść pod tytułem *Trismus* – też nieźle. Po Grochowiaku zaczęło się czytanie niemal zawodowe. Czytanie z podpatrywaniem: Mann, Kafka, Broch, Rosjanie – Bułhakow, Bunin, Babel. Opowiadania Iwaszkiewicza, inni, liczni klasycy. Chciałoby się tak pisać, ale nie wiadomo, jak to zrobić.

Nie próbowałeś nikogo naśladować?

Chciałem, ale nie mogłem się zdecydować kogo, bo za dużo ich było. A jak został jeden, to weź i spróbuj naśladować Andrieja Płatonowa.

Chciałabym porozmawiać o twoich rodzicach. Powiedziałeś kiedyś,
że miłość twojego ojca do ciebie zmieniała się odwrotnie proporcjonalnie
do twojego wieku.

Im byłem starszy, tym niechęć ojca do mnie nabierała
szerszych wymiarów i stawała się głębsza. Teoretycznie ojciec podkreślał, że jestem chowany w cieplarnia-
nych warunkach i na zasadach partnerskich. To znaczy zasady partnerskie polegały na tym, że w każdej
chwili mógł mi dołożyć, cieplarniane warunki – to
samo.

Czym cię bił?

Różnie. Ale muszę powiedzieć, że nie było tego, co
w domach niektórych kolegów, gdzie rodzice urzą-
dzali egzekucję jako wielki seans. Dziecko musiało
samo przynieść ojcu pas, wypiąć na krześle pupę,
a ten lał. Potem dziecko musiało podziękować pasowi,
dać mu buzi i go odwiesić.

Przed domem dziadków Czyżów w Wiśle, lato 1980.
Siedzą moi dziadkowie Maria i Jerzy, od lewej: Ala
Czyżowa, żona wujka Andrzeja, ja, moja córka Magda,
Hanula, moi rodzice. Obok dziadków Ania Czyżówna,
córka Andrzeja i Ali.

To było powszechnie w Wiśle stosowane, wcale nie tak dawno temu! Pod tym względem postęp jest jednak straszliwie duży, rodzice inaczej chowają, z drugiej strony wychodzą jakieś tysiące spraw pedofilskich, które kiedyś były zakryte, tego się w ogóle nie ruszało.

Wracając do starego, to liczył, że będę odnosił sukcesy w naukach ścisłych, w kierunkach politechnicznych, nie uniwersyteckich. I nie było to specjalnie od czapki, bo z matematyką i fizyką nie najgorzej sobie radziłem, nawet miałem przebłyski geniuszu. Ojciec chodził na wywiadówki, powiedzmy, szósta klasa szkoły podstawowej, i matematyk, profesor Moroz, mówił przy wszystkich innych rodzicach, że najlepszym matematykiem w klasie jest Pilch. Wtedy na pewno stary był bardzo dumny, ale dobrych uczuć nie był nauczony okazywać, nie pamiętam, żebym był za coś pochwalony. W ogóle nie było takiego języka, oboje starzy się tego wstydzili. Zimny chów w lodowatym domu. Mnie doszła potem literatura. Ojciec też literaturą się interesował, ale odczuł zagrożenie, że to, co powinno być obszarem wypoczynku, to znaczy czytanie książek, staje się moim planem na życie. Tu był pierwszy poważniejszy rozziew i tego do końca nigdy nie zaakceptował.

Ale we wczesnym dzieciństwie miałeś fajnego ojca?

Tak. Przede wszystkim był fajny, bo był raz w tygodniu. Pracował w Krakowie i dojeżdżał. To zawsze jest dobre, przyjezdny ojciec. Próbował rozbudzić we mnie męskość: kupił mi piłkę nożną, żebym grał, kupił mi fiński nóż, żebym wreszcie kogoś dźgnął i przestał być maminsynkiem w okularkach. Chodziliśmy do kina, graliśmy w tę piłkę, było fajnie. Zaczęło się robić źle, gdy rodzice wreszcie spełnili swoje marzenie i przeprowadzili się do Krakowa. Ojciec dostał służbowe mieszkanie z AGH na ulicy Smoleńsk, obecnie Dunin-Wąsowicza, tuż za stadionem Cracovii. Dwa pokoje z kuchnią – i mamy tu razem żyć. Matka wychodząca do pracy w Szpitalu Wojskowym po siódmej, ja do szkoły na Oleandrach, potem na ulicy Misjonarskiej za Błoniami. Rodzice zupełnie nie widzieli tego zagrożenia, że będzie ciasno, że będą napięcia, że ja dorastam. Ojciec miał dziwną naturę: lubił się na przykład gdzieś zaczaić i podglądać, jak idę do szkoły z kolegami, jak się lejemy workami.

Po co?

By poszerzać wiedzę o mnie.

W Krakowie między rodzicami zaczęło się psuć i to rzutowało na mnie. Byli małżeństwem zeswatanym, dziadkowie się jakoś dogadali. Dziesięć lat po ślubie wreszcie zamieszkali razem. Pamiętam, jak matka była kiedyś chora i ojciec jej powiedział: „Pamiętaj, jeśli umrzesz, to jutro się ożenię". Mniejsza o inne barwne sceny, które się tam działy, ale ja uciekałem, ile mogłem, często lądowałem w Wiśle.

Jakie relacje miałeś z ojcem w wieku trzydziestu, czterdziestu lat?

Wtedy było już dość upiornie. Może niezręcznie to brzmi, ale on był w pewien sposób zazdrosny o literaturę. Niby chciał czegoś innego, ale z drugiej strony

Wigilia w Wiśle, 1984. Od lewej: pastorostwo
Ala i Andrzej Czyżowie, babka Maria Czyżowa
oraz moja matka.

to pisarstwo to w jakimś sensie też jego zasługa i jemu się należy część honorów. Z okazji różnych uroczystości rodzinnych, jak na przykład jego urodziny, przywoziłem mu jako prezent książkę z dedykacją Jerzego Turowicza. A on zamiast przyjąć, że ma tę dedykację dzięki mnie, dawał do zrozumienia, że jest bliskim przyjacielem Jurka Turowicza i że musi mu osobiście podziękować.

To miało umniejszyć ciebie?
Tak.

W jakim celu?
W celu, że stary ważny. I wisiało nade mną, że ojciec przyjdzie do „Tygodnika" i zacznie kompletnie speszonemu szefowi dziękować, i przy okazji zrobi wywiadówkę na mój temat. Rzecz się skończyła, gdy o to samo poprosiłem księdza Józefa Tischnera. Tischner wziął swoją książkę i coś długo w głębi redakcji pisał. Przyniósł mi ją w końcu, a dedykacja brzmiała: „Panu Władysławowi Pilchowi z błogosławieństwem, zwłaszcza gdy czyta teksty znakomitego syna". I tu staremu wypadł oręż. To było w czasach, gdy teksty posyłało się faksem, ja faksem posyłałem do „Tygodnika Powszechnego" rękopisy felietonów. Ojciec gdzieś przeczytał albo widział w Amadeuszu Formana, gdzie było to wyraźnie unaocznione, że Mozart pisał nuty bez jednej poprawki. I stary dostał obsesji, że geniusza można poznać po tym, że wszystko pisze a vista, nic nie poprawia. Raz wchodzę na górę, patrzę, a on

siedzi przy faksie, ogląda mój tekst i szuka poprawek. A ich tam nie ma, mozartowski tekst!

Powiedziałeś mu kiedyś w dorosłym życiu o jego błędach wychowawczych?

Nie, to w ogóle nie wchodziło w grę.

Zdążyliście odbyć jakąś rozmowę przed jego śmiercią?

Nie, potem już unikałem kontaktu, on był coraz trudniejszy. Pod koniec życia, już w Wiśle, jak kogoś spotkał, mówił: „Jestem w olimpijskiej formie", a ledwo łaził i wyglądał strasznie.

Co ojciec dał ci dobrego?

Książki. Niektóre rzeczy, którym wtedy byłem przeciwny, a które teraz popieram. Na przykład, by robić rzeczy do końca, nie rezygnować. Jedną rzecz skończyć, potem brać się do następnej. Ale potem wszystko przysłoniły upiory.

Opisz teraz swoją mamę.

Nie nadążam za jej sprzecznościami. Nieraz nie wiem, o co jej chodzi. Mamy dobry kontakt dzięki temu, że wiele jej nie mówię. Dyskrecja nie jest jej mocną stroną. Na pewno była przez starego zdominowana, chociaż do końca temu nie ulegała. Poszła raz do adwokata, żeby dowiedzieć się o sprawy rozwodowe, ale oczywiście nic z tego nie wyszło. W jej optyce mam jakieś dziesięć lat i bywam niesforny.

Jak cię wychowywała?

Mnie wychowywała babka, matka była na studiach.

Zawsze byłem dojrzalszy od moich starych. W parze, jako wychowawcy czy nauczyciele, byli groteskowi. Wszystko na odwrót, zero wzoru. Dziecko, któremu rodzic niczym nie imponuje, jest potwornie samotne. Matka, mniejsza o to z jakich powodów, przynajmniej nigdy nie zamknęła się na religię, na duchowość, na Pana Boga. Co drugi tydzień po południu, w środę, prowadziła mnie do kościoła ewangelickiego, gdzie w sali parafialnej odbywała się nauka religii. To było w Krakowie i był to szok, bo byłem przyzwyczajony do olbrzymiej liczby dzieci na nauce konfirmacyjnej w Wiśle, tymczasem na Grodzkiej konspiracyjne komplety – chyba sześciu nas było. Między innymi dwaj upiorni bracia Barańscy, którzy byli postrachem wszystkich.

Potrafiłbyś powiedzieć, co jest twoją zaletą?

Nie wiem. Może pracowitość? Co prawda teraz, w chorobie, jest inaczej, inny jest rytm dnia, dochodzi polowanie na dobre samopoczucie. Czytać da się w każdych warunkach, pisać już nie. Mimo to myślę, że trudno by mi było postawić zarzut lenistwa. Dalej – patologiczna skłonność do porządku, która trochę maleje z wiekiem. Kiedyś nie do pomyślenia, żeby telefon nie leżał prostopadle, dziś – tak. Dziś leży krzywo i jest to oznaka starczego chaosu.

Nic więcej?

Nie wiem.

Moja matka przeszła długą drogę jako matka pisarza. Na początku była pełna sceptycyzmu. A dziś? Muszę powiedzieć, że mało jest takich sojuszników mojej twórczości jak ona. Wisła 2009.

Nie mam zielonego pojęcia.

Może nauczyłem się słuchać wypowiedzi kolegów pisarzy, którzy w rozmowach z miejsca zaczynali o swoich książkach, zamiarach, tłumaczeniach i karierze, siedziała w nich mania wielkości. Słynny dowcip – spotyka się dwóch pisarzy i jeden mówi: „Tłumaczą mnie w Niemczech, dostałem nagrodę, byłem nominowany i tak dalej. Ale poczekaj, bo ja tu o sobie i o sobie, pomówmy, co u ciebie. Czytałeś moją najnowszą książkę?". Młodzi pisarze często stąd właśnie czerpią siły. Uświadomiłem sobie, że to są dorośli ludzie, którzy opowiadają rzeczy budzące zawstydzenie. Ten rodzaj bezwstydu i pychy – przynajmniej w moim mniemaniu – źle wygląda i wywołuje jednak jakiś niesmak.

Zauważyłem u pewnych osób, szczególnie kobiet, mylne wyobrażenie o zawodzie pisarza. Jestem wrogiem traktowania pisarza jako autorytetu, przypisywania mu wyższości. To znaczy, kiedy one wdają się w pewne historie, wpadają na herbatę albo robią ze mną wywiad, to spodziewają się, że ja jestem człowiekiem typu *only art press* – tylko gazety o sztuce. Tymczasem ja kupuję prasę bulwarową i czytam ją bardzo dokładnie. Albo myślą, że oglądam wyłącznie arcydzieła, literatura, film i teatr, tylko z najwyższej półki. A ja lubię popatrzeć w telewizor i obejrzeć program *Piękna i kujon*. Tu widzę prawie zawsze rozczarowanie, bo zakłócam wizerunek artysty kapłana. Nigdy nie miałem ambicji, żeby obserwować tylko świat wyższy; mnie interesowało to, co jest dostępne w bezpośrednim doświadczeniu. Chałupa moich dziadków w Wiśle to jest centrum mojego świata, wokół tego krążę i mam poczucie, że nawet jeszcze pierwszego okrążenia nie zrobiłem, no, powiedzmy, że zrobiłem jedno. Ja rozczarowuję swoją postawą, swoim trybem życia, zwłaszcza teraz, gdy zdrowie trochę szwankuje, miewam urlopy przymusowe i oglądam nie tylko piłkę nożną, ale też *Piękną i kujona*. Jakie z tego mam pożytki, nie wiem, ale na pewno nie sprzeniewierzam się własnemu temperamentowi.

A wracając do ojca: był niskiego wzrostu, co zawsze źle wróży.

Zatrzymajmy się przy tym. Wiem, że od lat prowadzisz zakrojone na szeroką skalę badania dotyczące wzrostu pisarzy. Skąd się wzięło to zainteresowanie?

Badania wynikają głównie z rozmów z Marianem Stalą, profesorem Uniwersytetu Jagiellońskiego, od lat moim przyjacielem, który zna wzrost wszystkich pisarzy, żyjących i nieżyjących. Literatura polska, nie powiem, że jest we władaniu karłów, ale coś jest na rzeczy. Mickiewicz konus, Sienkiewicz malutki, Słowacki to samo. Słynny dowcip, nie pamiętam już czyj: zajechała pusta dorożka i wysiadł z niej Bolesław Leśmian. Kraszewski mały, Żeromski niski, Schulz – karzeł, gdzie nie dziubniesz! Albo na przykład Leopold Tyrmand – zdaje się, że on wynalazł obcasy wewnętrzne w bucie. W przypadku niskiego wzrostu następuje rosnąca od dziecka kumulacja, która w końcu pęka: ja i tak was zjebię w literaturze. Od zawsze stoisz ostatni w szeregu, pogardzany przez koleżanki. To jest stwierdzone, nie dokonuję żadnego odkrycia – kompleks wzrostu owocny jest w twórczości. Jest bardzo mało wysokich pisarzy, chyba gigantem był Kazimierz Wierzyński, poeta ze Skamandra, także Jarosław Iwaszkiewicz. Żyjących ominiemy, niech rozmiar pozostanie tajemnicą.

A zagraniczni pisarze? Ja wiem, że wysoki był Franz Kafka.

Franz Kafka musiał wyglądać jak widmo. On miał ponad dwa metry. Koszykarski wzrost, przy potwornej chudości i chybotliwym przygarbieniu, gdy chodził po Pradze – niejedno dziecko musiało do końca życia mieć koszmary. Nabokov też był wysoki.

Wracając do ojca: póki byłem niższy od niego, był znośniejszy.

Wtrącę tutaj – bo mimo że kiedyś często pojawiałeś się na spotkaniach autorskich i na różnych targach, większość czytelników nie miała okazji cię widzieć – ty jesteś wysoki, masz 185 centymetrów wzrostu.

Całe życie tyle miałem. Obecnie 181 centymetrów, bo się garbię.

Chodziliśmy z ojcem na mecze, na stadion Cracovii. Lubiliśmy sobie stanąć na pierścieniu na górze, oglądać na stojąco. A tu przychodzą wakacje, ja mam czternaście lat i na tych wakacjach rosnę piętnaście centymetrów. Codziennie rano wstaję i widzę, że jestem wyższy. Po tych wakacjach idę ze starym na mecz, szukamy miejsca, z którego widać boisko, ja wchodzę i widzę wszystko, on chce iść gdzie indziej.

Koniec lat 90.

Ja – bez śladu złej woli, bezwiednie – mówię, że widzę dobrze, na co on się poważnie obraził i poszedł. Przez gardło mu nie przeszło, żebyśmy poszli gdzie indziej, bo on jest niższy i nie widzi. Potem był bezlitosny, epatując moim wzrostem i rzucając dowcipy na ten temat: „Co z tego, że chłop wielki, jak daremny".

Twój ojciec cię kochał?

Nawet jeśli kochał, to niech Pan Bóg broni przed taką miłością.

DIABEŁ
PRZYCHODZI
W CZWARTEK

Dziedziniec przedwojennej rzeźni moich
dziadków w Wiśle. Z lewej babka Maria Czyżowa
primo voto Chlebkowa.

Gdy miałeś trzydzieści lat, myślałeś czasem o swojej śmierci?

Myślałem, ale nie miało to tego przerażającego ładunku nieuniknioności, który ma teraz. Trudno jest mi w tej kwestii coś zakładać, bo na przykład moja matka ma dziś osiemdziesiąt lat. A jak dociągnie do setki, to do emerytury dostanie dodatkowo miesięcznie trzy tysiące sześćset złotych plus darmowy przejazd wszystkimi środkami komunikacji.

Do czego zmierzasz?

Do tego, że moja matka podjęła decyzję, że weźmie te trzy sześćset. I ja jestem pewien, że jej to wyjdzie.

A ty weźmiesz trzy sześćset?

Na razie tak daleko nie wybiegam. Za młody jestem. Poza tym przedłużamy życie – w porządku. Wtedy wezmę, no bo niejeden weźmie. Prawdopodobnie wszyscy egzystencjalnie przedłużeni wezmą. Ale powstaje pytanie, czy rzeczywiście przedłużamy życie, czy przedłużamy starość. Bo jednak nie słyszałem o dobrze prosperujących stulatkach. Nie jest tak, że ktoś im przywraca młodość, to jest, owszem, czasem całkiem sprawną, ale starość? Czy jest w tym sens? Że starość trwa długo? Pewnie, w każdej chwili życia chce się żyć. Moja babka, która całe życie twierdziła, że legnąć wieczór i rano się nie obudzić – to byłoby idealne, która całe życie chodziła w żałobie po pierwszym mężu, całe życie była pesymistką i całe życie miała parcie na tamten świat, gdy godzina wybiła, krzyczała, że nie chce umierać. Trzymamy się tego życia, które nie wiadomo czym jest.

Teraz czytam *Religię bez Boga* Dworkina, nieżyjącego już filozofa. Zacytuję początek: „Tematem tej książki jest pogląd, że religia jest głębsza od Boga. Religia stanowi głęboki, wyróżniony i rozległy obraz świata: utrzymuje, że pewna inherentna, obiektywna wartość przenika wszystko, że wszechświat i jego stworzenia budzą nabożną cześć, że życie ludzkie ma cel, a wszechświat porządek. Wiara w jakiegoś boga stanowi tylko jedną z możliwości manifestacji czy konsekwencji tego głębszego widzenia świata".

Dlaczego ludzie tak trzymają się życia? Jak myślisz, czego najbardziej żal?

„Wielkie rzeczy, że niedługo mnie nie będzie, przecież raz już mnie nie było" – nie pamiętam, skąd ten cytat. A jednak. Po pierwsze, na kilkadziesiąt lat zostaje obudzona pewna świadomość. I żyjesz w tej świadomości zupełnego cudu, jakim jest życie. Mieszkasz z tymi książkami, płytami, i to jest dobre, ale się kończy. I jakoś trzeba to oswoić. Dałem ten przykład z Dworkina po to, żeby pokazać, że życie bez perspektywy religijnej, obojętnie, jaką terminologię by zastosować, jest daremne. Możesz mówić, że tęsknisz za nicością, ale póki jesteś, póty tobie i wszystkim innym się wydaje, że w momencie śmierci i po śmierci też będziesz. Będziesz jakoś to widział i w tym uczestniczył. Ten strach, strach przed zaznaniem własnej nieobecności jest trudny i nie do pojęcia.

Nie wydaje ci się, że żyjemy w kulturze, która udaje, że śmierci nie ma?

Widzę to od dawna. Teraz widzę to jeszcze wyraźniej: świat jest nastawiony na brak śmierci, czyli na młodość. Młodość rządzi. Kiedy rządziła śmierć, świat wyglądał godniej. Starość w naszym kręgu rządziła dawno albo w ogóle. Teraz w mediach – czyli w obrazie świata – jeśli jest starość, to bez godności: siwowłosy krzepki dziadek w reklamie rąbie siekierą drzewo i powiada, że czuje się młodo, bo codziennie coś zażywa. Nie dziwota, że jest na marginesie. Jak mówi znany tytuł książki: to nie jest kraj dla starych ludzi, a właściwie można by powiedzieć: to nie jest świat dla starych ludzi. Zwyciężyła opcja młodości, która nie zestarzeje się nigdy.

Myślisz, że z tej presji rodzi się obsesja młodego wyglądu, te wszystkie operacje plastyczne? Wstyd mieć zmarszczki?

Wstyd nie mieć sztucznego biustu.

Przesadzasz.

Korygowanie ciała, głodzenie się – to było obecne już w średniowieczu, ale miało napęd religijny. Biczowali się, głodzili, umierali z niedożywienia i tak dalej. Teraz mechanizm jest ten sam, tylko bóstwem jest ciało. Trzeba być sprawnym. Młodość nie tylko jako czas długotrwały, ale też jako czas wiekuistego treningu. Chodzę po ulicach Warszawy i zastanawiam się: gdzie są moi kumple? Gdzie są moi bracia w dygocie? Nikt się nie trzęsie… Może nie wychodzą z domu?

Może mają inne choroby? Może wczoraj mieli zawał i leżą w łóżku?

Na coś muszą leżeć, na litość boską!

Co chcesz przez to powiedzieć? Myślisz, że wszyscy twoi rówieśnicy są zdrowi i tylko ty się trzęsiesz?

Na to wygląda, gdy się obserwuje ulice. Chodzi po nich wyłącznie młodość i żwawi pięćdziesięciolatkowie. Reszta w autach?

Naprawdę uważasz, że wszyscy twoi koledzy są w świetnej formie?

Nie no, część wymarła. Ale ja dodatkowo jestem upokarzany.

Przez kogo?

Przez media. Przeczytałem ostatnio, że księżna Kate była członkinią jakiegoś klubu erotycznego…

Co?

Prawda – nieprawda, ale w prasie bulwarowej pisali! No i tam wielkie orgie się odbywały co jakiś czas, organizatorzy dobierali starannie uczestników, zapraszali pary albo samotne panie. Do czterdziestego roku życia. Po czterdziestce już pa, pa. Mogę ewentualnie zrozumieć, że jestem o dziesięć lat za stary, ale o dwadzieścia? Ja jestem o dwadzieścia lat za stary, żeby bilet dostać!

Kiedy po raz pierwszy pomyślałeś: „jestem stary"? Cały czas mówisz teraz o sobie z perspektywy starca, dla mnie to coś nowego. Czy jednak w głębi duszy wcale tak o sobie nie myślisz i trochę kokietujesz. Masz sześćdziesiąt dwa lata, nie osiemdziesiąt dwa.

Ja jestem stary? Coś takiego! Nigdy bym nie pomyślał. Z jednej przeto strony niby nie myślę. Z drugiej – paru umarło wcześniej.

Paru młodszych ode mnie też umarło, co nie znaczy, że jestem stara.

No więc, niech będzie: to raczej konstrukcja. Ale pomyśl – nie chcę ci nic wypominać, ale jak rozmawialiśmy za młodu, gdy miałaś dwadzieścia lat, i ja mówiłem, że wkrótce będziesz miała trzydzieści, to ciebie ogarniał niepojęty atak śmiechu. Czas płynie, rzeźbi nas i demoluje, mimo że nam się wydaje, że się nie zmieniamy.

W swojej idealnej wizji miałbyś wiecznie czterdzieści lat i w takiej niezmiennej postaci obserwowałbyś świat wokół siebie?

Jakbym miał czterdzieści, to nie poprzestałbym na obserwacji.

Co jest po drugiej stronie?

Coś za często ostatnio mnie o to pytają. Miłosz pisał: „Jak jest w niebie, wiem, bo tam bywałem". Ja też może bywałem, ale nie jestem pewien, w jakiej konstelacji. Mogło być wtedy, a jak nie wtedy, to kiedy?

Przy fontannie Czterech Rzek w Rzymie, 2005.

Słowem: jestem pełen zasadniczych wątpliwości. Jak patrzy się na końcówkę i widzi, że koniec jest etapem bezradnej starości, to skłania się ku temu, że w finale jest tylko nicość. Ale jak się patrzy na początek życia człowieczego, które bezwiednie wchodzi w ten świat, uczy się, ma wpojone poczucie sensu, wtedy łatwiej jest pytać, po co tych kilkadziesiąt lat rozbudzonej świadomości w tak dziwnym stworze, jakim jest człowiek. Z drugiej strony wiadomo, że za jakiś pozornie niezmierzony czas nastąpi katastrofa totalna i nie zostanie nic. Dziwne byłoby istnienie takiej rzeczywistości jak nasza bez pytania, po co to. Ślepa ewolucja? Istnieje słynne porównanie: prawdopodobieństwo, że życie na ziemi powstało samo z siebie, jest takie samo jak to, że w wyniku huraganu, który przeszedł nad złomowiskiem, powstanie samolot odrzutowy.

Do czego zmierzasz? Że jednak jesteśmy stworzeni po coś?

Czasami taka myśl może przyjść, chociaż niewiele poprawia. Cytowany już Leszek Kołakowski kilka lat przed śmiercią powiedział, że przestał dawno temu czytać dwa rodzaje książek: jeden rodzaj, który udowadnia istnienie Boga, i drugi, który dowodzi Jego nieistnienia. Końcówka pobytu na ziemi jest upiorna, trudna. Jak wiadomo, na starość nawet diabeł zaczyna uprawiać pewne praktyki religijne i wszystkim tym, którzy znosili życie doczesne bez perspektywy religijnej, a pod koniec życia im się odmienia – ja się nie dziwię.

Mój stary stał się człowiekiem religijnym na starość, zwłaszcza po doświadczeniu w Nigerii. Cztery lata wykładał w Kadunie, zarobił tam na dom w Wiśle, zbudował go i umarł. W Nigerii był wtedy politycznie napięty czas, zdarzało się, że miejscowi atakowali białych. Raz do bungalowu, w którym ojciec mieszkał z trzema kolegami, włamali się napastnicy. Zabili jednego z kolegów, stary był akurat w kiblu. Było tam małe okno, przez które wyszedł i puścił się biegiem do buszu. Tam wdrapał się na drzewo, przywiązał do niego paskiem i w tym buszu pod Kaduną spędził najstraszniejszą, a może najważniejszą noc swego życia. W każdym razie zszedł z tego drzewa jako człowiek głęboko wierzący. Całe życie był niedowiarkiem, ale po tym wydarzeniu uznał, że skoro ocalał, skoro włos mu z głowy nie spadł, to jest to sprawa Pana Boga. Do śmierci chodził do kościoła pilnie.

Święty Augustyn, zdaje się, analizował różnoraką problematykę ciał zmartwychwstania. Rozpatrywał na przykład ciekawe zagadnienie, mianowicie, czy kiedy ktoś z odciętą nogą zmartwychwstanie, to też bez nogi, czy mu odrośnie? Albo blizny – jeśli tak, to jakie? Na to pytanie odpowiedź filozofa chyba brzmi: będą, ale bardzo delikatne.

Jeśli zmartwychwstaniemy cieleśnie, to czym to nowe ciało będzie się różniło od ziemskiego? Tak samo będzie potrzebowało jeść, spać itd.?

Defekować… To jest problem: czy defekacja występuje w raju. Kundera na ten temat w różnych powieściach napomykał. Być może następuje w raju takie przeistoczenie, którego my nie uchwycimy z ludzkiego punktu widzenia. Moim zdaniem istnieje coś

takiego jak religijność bez Boga, zwłaszcza tego oso-
bowego, i innych tego typu wyobrażeń.

No więc jest coś „po" czy nie?

Ze strachem formułuję pogląd, że prawdopodobnie nie ma nic. Jeszcze inaczej: władze poznawcze,
w które wyposażył mnie Bóg, nie pozwalają mi po-
twierdzić Jego istnienia. Co może być starannie prze-
zeń zaplanowanym trickiem.

Po co się starać wobec tego?

Bo staranie jest dobre. Mamy przeświadczenie takie,
że cały czas świadkujemy swemu życiu, przyglądamy
się mu i zarazem bierzemy w nim udział. O dziwnym
strachu przed nieobecnością już mówiłem, powtórzę
raz jeszcze: przerażające jest to, że nas nie będzie, bo
wydaje się, że po śmierci nadal będziemy przyglądać
się światu zubożonemu o naszą obecność. Że będziemy widzieć dalsze losy Warszawy czy Krakowa
bez nas – i to wydaje się nam tragiczne i nieszczę-
śliwe. Ale jak mówi jeden ze starożytnych filozofów:
dopóki jest świat – nie ma śmierci, jest śmierć – nie
ma świata, w związku z czym nie ma się czego bać.
No ale jak się nie bać końca naszego świata? Przyj-
mijmy przeto, że mamy przed sobą nieskończoność.

Diabeł istnieje?

Istnieje i przychodzi w czwartek. Istnieje przez to, że
na poparcie wiary w tamten świat, w życie pozagro-
bowe, powstały tysiące dzieł sztuki. Potężna machina
wszech sztuk, która zajmuje się akceptowaniem, chwa-

leniem Pana Boga i nurzaniem się w strachu przed szatanem przedstawianym bardzo detalicznie. I temu się ulega. Trudno nagle przyjąć, że Hieronim Bosch wymalował fantasmagorie – on to widział. I musiał to widzieć dokładnie! Jest to rodzaj religijnego wtajemniczenia przez sztukę, które bywa fundamentalne. Nie ulega przecież wątpliwości, że niektóre kawałki Mozarta czy Bacha to jest muzyka Boga w sensie ścisłym. W całym tym gmachu ludzkich sztuk portrety diabła są o wiele częstsze, wyrazistsze i dokładniejsze od wizerunków Pana Boga, którego w ogóle strach malować. W końcu nikt nigdy Go nie widział, oprócz Mojżesza, któremu Bóg wypisał przykazania na kamiennych tablicach, a potem – jak powszechnie wiadomo – Mojżesz, zrażony niestałością swego ludu, potłukł je i jeszcze raz musiał dymać na górę z prośbą o nowy zestaw, co oczywiście było uciążliwe, ale dało mu jeszcze jedną sposobność kontaktu z Majestatem; przedtem jeszcze Bóg przemówił do niego z płonącego krzewu. W całych dziejach jeden człowiek, który Go widział, ale prawdopodobnie tylko od tyłu i z daleka. A diabła tak się maluje, jakby wszyscy byli z nim za pan brat, jakby żył pomiędzy ziemianami.

Może żyje, bo ludzie chcą mieć na kogo zwalić swoje zło.

Oczywiście. Słynna scena, którą wielokrotnie opisywałem, gdy mój dziadek mówi o swojej żonie, a mojej babce, będącej w złym humorze, że przyszli do niej „czorni". Po czym dodawał: „Ale ciekawe, że tak przyszli w czwartek. Ciekawe, że w czwartek…".

Czego się bałeś?

Szczerze mówiąc, z dzieciństwa niewiele lęków pamiętam, byłem raczej chroniony. Ale świat duchów był realny, było jasne, że dusza nieboszczyka trzy dni błąka się po padole, że nie wolno jej zatrzymywać nadmierną rozpaczą, że sny są znakami i ostrzeżeniami z tamtego świata – to było jakoś oswojone, przerażało umiarkowanie. Prawdziwy strach przyszedł później…

Z książek?

Książek się nie bałem. Raz kryminału opartego na rozmowach telefonicznych. „Przekrój” to wydrukował w całości. Jeden numer tego tygodnika był w całości powieścią. Chyba wtedy chorowałem i leżałem w wyrku niczym ofiara, wokół której aura gęstniała. Napięcie straszliwe. Ale filmy straszliwsze. Pamiętam, że na pierwszej części *Egzorcysty*, którą, nawiasem mówiąc, oglądałem w Londynie, zdychałem ze strachu w sensie ścisłym. Drugi raz zdychałem na filmie *Obcy – ósmy pasażer Nostromo*. Byliśmy na tym w kinie Kijów w Krakowie z Marianem Stalą. To było straszne.

W latach sześćdziesiątych w twoich rejonach działali słynni seryjni mordercy. Pamiętasz ich?

Pamiętam bardzo dobrze Karola Kota z Krakowa. Był prawdopodobnie chory umysłowo. Atakował między innymi staruszki w kościołach, ale i pod kopcem Kościuszki zabił dziecko. Chodziłem przez Błonia do szkoły. Pocieszałem się tym, że po pierwsze, byłem

duży, po drugie, miałem długi i gruby kożuch, który osłabiłby ciosy i w którym wydawałem się jeszcze większy. Pamiętam, że przechodząc przez Błonia, przyspieszałem kroku.

Był też drugi morderca, „wampir śląski". Jedną z jego ofiar była bratanica Edwarda Gierka. Zrobili jakieś badania statystyczne, szczątkowe rysopisy, wizerunki psychologiczne, zeznania ofiar – bo parę tych kobiet przeżyło – i na szczycie tej piramidy prawdopodobieństwa znalazł się niejaki Zdzisław Marchwicki, przygotowany do tej roli, zdaje się, przez Milicję Obywatelską, o którą się otarł. Nie miał czystego sumienia, ale po latach wyszło, że raczej nie on. Niektórzy twierdzili, że było blisko do złapania prawdziwego wampira, ale jego dom spłonął, a morderca w nim, i to w taki sposób, że linie papilarne zwęglone…

KRAKÓW–
WARSZAWA

Warszawa 2010.

Jako finalista olimpiady, nie musiałeś zdawać egzaminu z polskiego na polonistykę na Uniwersytecie Jagiellońskim. To było wtedy wyjątkowe miejsce, wielu przyszłych literatów, teoretyków i krytyków literatury kończyło studia właśnie tam. Jak było na polonistyce?

Wybrałem Kraków, bo tam mieszkałem. W ogóle nie przychodziło mi do głowy i było poza kategoriami, żebym zdawał do innego miasta. Przewodniczącym komisji na olimpiadzie był Kazimierz Wyka, jeden z wielkich profesorów krakowskiej polonistyki, takich jak Zenon Klemensiewicz, Juliusz Kleiner, Stanisław Pigoń. Kiedy pierwszy raz zobaczyłem Wykę, był chyba z dychę młodszy ode mnie dzisiejszego, wydawał mi się kompletnym dziadkiem. Pisał wtedy dziwne eseje, rozmyślał o samobójstwie, dręczony był przez alkoholizm, co stanowiło tajemnicę poliszynela, ale był zdumiewającą osobowością. Chodziliśmy na jego wykłady z romantyzmu, które, owszem, były interesujące, ale interesujący był przede wszystkim on sam, z tym swoim nosowym głosem, z wycieczkami do współczesności, do wiadomości z gazet. Dziś okazuje się, że wciąż istnieje polonistyka wielkich profesorów, tylko że oni byli ze mną na roku – Marian Stala to potężna instytucja na Gołębiej 20. Studiowali z nami także późniejszy dziennikarz „Polityki" Adam Szostkiewicz i reżyser Bogdan Tosza. Ale z samych studiów mam bardzo mało wspomnień, to był okres mojego intensywnego narzeczeństwa, byliśmy na tyle sobą zainteresowani, że prawie w ogóle nie uczestniczyliśmy w życiu studenckim. Niżej ode mnie byli między innymi Bronisław Maj, Tadeusz Słobodzianek, Bronisław Wildstein. I świętej pamięci Stanisław Pyjas. Skąd tyle osobowości? Wydaje mi się, że rozstrzygający wtedy był Kraków jako miejsce. Kraków sprzed przebudowy i odnowy. Średniowieczne miasto z nienaruszoną substancją architektoniczną, z wąskimi zaułkami, antykwariatami, księgarniami i teatrami, z niesamowitą pogodą – słynna krakowska mgła na Plantach. Miejsce, w którym mieściła się polonistyka, w samym centrum, było zawsze żywe, zawsze kogoś się tam spotykało.

Stanisław Pyjas – wiedzieliście wtedy, że działa w opozycji?

Wiedzieliśmy, oczywiście, to nie było ukrywane. Paradoksalnie jedną ze strategii działania studenckiego ruchu podziemnego była jawność. Pamiętam głównie jakieś niegroźne manifestacje anarchistyczne, demolowanie lamp, rozbijanie samochodów. Sama śmierć Pyjasa była szokiem. Atmosferę wokół tego wydarzenia próbowałem opisać w opowiadaniu *Kraków*. Dzień, w którym go znaleziono w bramie przy ulicy

Szewskiej 7, był dniem, w którym przez Kraków szły procesje, w zakładach pracy była niedziela czynu partyjnego, w Nowej Hucie kazanie miał kardynał Wojtyła. Co do samej śmierci, mnie najbardziej prawdopodobna wydaje się wersja, którą sformułował Jacek Kuroń, mianowicie, że był to wypadek przy pracy ubeków. Mieli taki zwyczaj, że dawali wódkę przesłuchiwanemu i bili go, mieli na etacie między innymi byłego boksera.

Po śmierci Pyjasa powstał SKS, Studencki Komitet „Solidarności", nawołujący do ujawnienia sprawców morderstwa. W jego skład wchodzili między innymi Bronek Wildstein i czołowy intelektualista grupy, również student polonistyki – Lesław Maleszka. Maleszka robił zawsze wrażenie, że czytał wszystkie książki, niewiarygodna pojemność mózgu, miał dziwny wygląd, jąkał się, trochę odklejony od rzeczywistości. Bardzo szybko wyrósł na pierwszego ideologa podziemia, mimo że sprawiał wrażenie nieporadnego życiowo. W tej grupie opozycjonistów chyba wszyscy wiedzieli, że ktoś kapuje, ale Maleszka na liście podejrzanych był ostatni. Przez całe lata, do niepodległej Polski, prowadził opozycję w Krakowie, więc w sumie nie dziwię się wściekłości Bronka Wildsteina; facet, który robił wrażenie, że sam nie potrafi sobie spodni zapiąć, przez długie lata ich wszystkich równo dymał. Chociaż przesłanki do podejrzeń były. Pilnowali na przykład jednej zasady, żeby wydawnictw podziemnych i emigracyjnych nie trzymać w widocznym miejscu, bo w razie rewizji murowana konfiskata, a to bywały poważne i bolesne straty, bezpowrotnie przepadały książki „szkalujące system". Tymczasem u Leszka zawsze wszystko było na wierzchu. Ale ponieważ był ekscentryczny, uważali widocznie, że ma to wszystko w dupie. Po czym okazało się, że to on właśnie był wytrawnym, conradowskim agentem.

W tym okresie zacząłeś współpracować ze „Studentem". Co to było za pismo?

Na początku lat siedemdziesiątych, w czasie gierkowskiej odwilży, doszła do głosu tak zwana Nowa Fala w poezji i ona najpełniej wyrażała się na łamach „Studenta", którego redaktorem naczelnym był Jan Pieszczachowicz, nawiasem mówiąc, bardzo pozytywna postać. To był dwutygodnik, wbrew tytułowi publikowali tam goście około trzydziestki. Nową Falę tworzyli Stanisław Barańczak, Ryszard Krynicki, Adam Zagajewski, Julian Kornhauser, to oni nadawali ton pismu. Na pierwszym roku studiów wybrałem się z moimi wierszami do redakcji mieszczącej się nad klubem Pod Jaszczurami – dwa liliputie pokoiki, gdzie się wszyscy kłębili. Ryszarda Krynickiego, do którego szedłem, wtedy akurat nie było, wiersze przyjął do druku Tadeusz Nyczek. Krynicki – dziś kapłan poezji – był wtedy kontestatorem wszystkiego i wszystkich, pamiętam jego wiersz z tamtego okresu zaczynający się od słów: „Gdybyś miły nie miał kiły". Czekałem na druk, ale w międzyczasie całą Nową Falę wyrzucono ze „Studenta", a samo pismo zlikwidowano. Potem, w roku zdaje się 1976, był jeszcze drugi „Student", tym razem w obszernym pomieszczeniu, pokoje w amfiladzie. Na miejsce Jana Pieszczachowicza przyszedł Wacław Żurek, który był człowiekiem

Kraków 1978.

z cenzury, dano strażnika. Ale jak to często bywa, facet, który przychodzi z cenzury, chce pokazać, że my tu właśnie jesteśmy otwarci, i rzeczywiście był otwarty. Lubiliśmy go bardzo. Mimo to zapis na poetów Nowej Fali trwał, nie było mowy, żeby ich odzyskać.

O czym marzy student polonistyki? Oczywiście student polonistyki, w dodatku taki jak ja, czyli młody poeta, marzy o tym, by drukować swoje wiersze. W Krakowie miał trzy możliwości: na ulicy Wiślnej 2 – „Życie Literackie", Wiślna 13 – „Tygodnik Powszechny", i właśnie „Student" – Rynek Główny 25. Mnie było najbliżej pod pierwszy adres, o czym już opowiadałem. Często recenzowałem tomiki poezji, które wręczał mi Włodzimierz Maciąg. Raz dałem tekst bardziej felietonowy, mniej pasujący do „Życia Literackiego", i tego mi nie wydrukowali. Wziąłem go więc i poszedłem za róg, do „Studenta", gdzie panowała wtedy wspomniana ekipa strażaków. Od razu to wydrukowali, co oczywiście mi się spodobało. Zacząłem pisać swobodniej i częściej do „Studenta". Za mną przyszli tam Marian Stala, Tadziu Słobodzianek i Bronek Maj, w ten sposób żeśmy, mówiąc górnolotnie, trochę to pismo ratowali.

Studia to też pamiętne praktyki robotnicze w Chrzanowie. Po 1968 roku władza ludowa wymyśliła, żeby studenci poznali smak życia robotniczego. W Chrzanowie byłem w pokoju z Marianem Stalą i Bronisławem Wildsteinem. Pracowaliśmy przy budowie, głównie kopiąc rowy i będąc przedmiotem nieustannych obserwacji i komentarzy prawdziwych robotników. Przeszliśmy szkolenie BHP, mieliśmy gumofilce, strój roboczy, narzędzia. Raz pobiliśmy rekord w załadunku cementu na ciężarówki, pamiętam, że klasa robotnicza patrzyła na nas przychylnie. Od poniedziałku do czwartku było na budowie niesłychanie krzykliwie, rzeczywiście robota szła w tempie socjalistycznym, jak z filmów propagandowych, ale koło piątku wszystko zamierało, z rzadka jakiś robotnik się pokazał, reszta, poukrywana w pakamerach, już chlała. W poniedziałek od nowa buchało życie.

Dziewczyny studentki robiły coś innego. Moja ówczesna narzeczona miała praktyki w Krakowie; jej zadaniem było przejście centralną ulicą, wejście na każde podwórko i szkicowanie mapy z zaznaczeniem, gdzie znajdują się śmietniki, po czym miała tę mapę śmieciarską zdać kierownictwu. Było to niezwykle przydatne: pracownik MPO nie błądził po podwórku, kierował się gotową mapą.

Po pierwszym roku pracy na uniwersytecie sam zostałem opiekunem praktyk robotniczych. W grupie, którą jako dowódca oddziału miałem w swojej pieczy, byli między innymi: poeta Zbigniew Machej, poeta i krytyk Janusz Drzewucki oraz profesor religioznawstwa Zbigniew Pasek. Pracę mieli wymarzoną, w fabryce win mianowicie, tych chrzczonych, gdzie dolewali spirytusu, J-23. Narąbane od rana pracownice – bo personel był głównie żeński – łakomie gapiły się na subtelnych humanistów…

Kolejna redakcja to „NaGłos" mówiony. Jak się tam znalazłeś?

Rzeczywistość była wtedy skomplikowana, chciało się drukować, ale często zanim skończyło się przepisywać

Na spotkaniu „NaGłosu", Kraków 1988.
Od lewej: Antoni Libera, Krystyna i Leszek Moczulscy,
nachylony Bronisław Maj, obok ja i Hanula.

tekst na maszynie, pismo padało. Ukazywało się wówczas „Pismo", miesięcznik. Naczelnym był wspomniany Jan Pieszczachowicz, i wierchuszka krakowskiej literatury w redakcji: Kornel Filipowicz, Wisława Szymborska, Jerzy Kwiatkowski. Jerzy Kwiatkowski, nawiasem mówiąc, umarł w 1986 roku w wieku pięćdziesięciu dziewięciu lat, nie mogłem zrozumieć wszystkich tych dziwiących się, że młodo umarł, dla mnie był dziadkiem. Dziś jestem o cztery lata starszy od niego w chwili śmierci...

To był czas, gdy chodziłem do Kornela z opowiadaniami i chciałem zanieść je do „Pisma", ale przyszedł stan wojenny i zostało zlikwidowane. I chyba właśnie wtedy Stanisław Balbus, kolejny zasłużony profesor... Opowiadałem ci historię *Ballady o uczonym Balbusie* Agnieszki Osieckiej?

Nie.

„NaGłos" powstał jako pismo mówione w miejsce „Pisma" drukowanego. Bronek Maj je prowadził, on wymyślił tę poetykę. Wyglądało to tak, że mówił: „Pierwsza strona «NaGłosu» – wiersz Wisławy Szymborskiej". I Wisława wstaje, poprawia perukę i czyta, a po niej kolejni autorzy. Przy pierwszych numerach, w 1984 roku, przychodziła niepełna sala, działo się to w Klubie Inteligencji Katolickiej na Siennej. „NaGłos" potem niesłychanie zaskoczył, rozgłos poszedł po kraju, sala stawała się coraz ciaśniejsza. Kolegowaliśmy się już wtedy z Januszem Andermanem, Zbigniewem Mentzlem i Antonim Liberą, przyjeżdżali z Warszawy do Krakowa. I kiedyś Mentzel przywiózł

W redakcji „Tygodnika Powszechnego", Kraków,
połowa lat 90. Od prawej: Jerzy Turowicz,
Wojciech Pięciak i ja.

Agnieszkę Osiecką na spotkanie „NaGłosu", najpierw jako widza, potem sama też coś chyba czytała. Głośne były wówczas, głośniejsze niż czytanie samych tekstów, bankiety po NaGłosie, odbywające się w różnych mieszkaniach krakowskich. Wśród pierwszoplanowych bankietowiczów był właśnie Staszek Balbus, profesor uniwersytetu, człowiek niezwykłej chudości, znawca wersyfikacji. Mieliśmy wspólnego przyjaciela, Wacka Twardzika. Kiedyś w środku nocy Balbus wracał od Twardzika w stanie nieco nadwerężonym. Jakimś cudem znalazł się na torach, przewrócił się i tramwaj na niego najechał. Zmasakrowany Balbus leży pod siódemką, nie rusza się, utrata przytomności. Przyjechał najcięższy sprzęt, bo trzeba było tramwaj podnieść. Pół nocy to podnoszenie, dźwigi, w końcu się udało. Na co Balbus się ocknął, bo wcześniej okryty był ciepło tramwajem, a teraz zrobiło mu się zimno. Wstał i poszedł sobie, nietknięty. Ucho miał trochę draśnięte, ale prawdopodobnie bez związku z katastrofą. Agnieszka Osiecka, znając wydarzenie z opowieści, napisała wtedy *Balladę o uczonym Balbusie i przejeżdżającym tramwaju.*

Zawsze występowałem jako ostatni i realizowałem gatunek, który można by porównać do *Książek najgorszych* Barańczaka. Wyśmiewałem różnych grafomanów, było na to zapotrzebowanie, widownia świetnie reagowała. Miałem zamiar zrobić z tego osobną książkę, ale do pierwszego wydania *Rozpaczy z powodu utraty furmanki*, do którego wstęp napisał

Stanisław Barańczak, dałem na końcu ze cztery teksty z „NaGłosu" i na tym się skończyło.

Kolejnym ważnym miejscem był „Tygodnik Powszechny". Jak tam trafiłeś?
Przypadkiem oczywiście, jakimś błogosławionym przypadkiem. Po usunięciu mnie z uczelni imałem się różnych zajęć: porządkowałem bibliotekę w parafii ewangelickiej na Grodzkiej, pisałem recenzje wewnętrzne w Wydawnictwie Literackim, sprzedawałem w galerii Andrzeja Mleczki. Świętej pamięci Bronek Mamoń, który był inspiratorem mojego przyjścia do „Tygodnika", był bardzo roztargniony. Przypuszczam do dziś, że przyjął mnie przez pomyłkę, z kim innym rozmawiał, a ja przyszedłem. W „Tygodniku" mieli luz etatowy, ponieważ poszli w politykę. Krzysztof Kozłowski został ministrem w rządzie Tadeusza Mazowieckiego, potem senatorem, a Ziuta Hennelowa – posłanką. Zjawisko było szersze, Jerzy Turowicz inspirował powstanie Ruchu Obywatelskiego Akcja Demokratyczna, archeformy Unii Wolności.

Wielu miało im to za złe, jakby nie rozumieli, że najważniejsi ludzie „Tygodnika" byli zwierzętami politycznymi. Cudem, bo cudem, ale doczekali swego sezonu. Mieczysław Pszon jako pełnomocnik rządu odniósł spektakularny sukces w sprawie pojednania, Władysław Bartoszewski – wpierw ambasador w Wiedniu – wziął, jak godzina wybiła, MSZ, Jacek Woźniakowski został prezydentem Krakowa, i tak dalej. Mnie to ciekawiło jako chętnego do bycia w redakcji. W „NaGłosie" mówionym czytałem swoje felietony, ludzie z „Tygodnika" często tam przychodzili, byłem niejako w sposób naturalny kandydatem do pracy. Bronek Mamoń wyjeżdżał na urlop, ja miałem kierować działem książkowym. Ucieszyłem się bardzo z tej propozycji, ale było pewne rozprzężenie… Czekaj, muszę się napić.

Nie byłoby lepiej, gdybyś pił wodę zamiast tyle tej coli?

Lepiej, ale colę mam pod ręką i bardzo dobrze mi robi.

OK, rzuciłeś palenie, nie wymagajmy zbyt wiele. Masz w ogóle papierosy w domu?

Pewnie, że mam. Nie sztuka nie palić, jak nie ma.

No i przyjęli mnie do „Tygodnika", mnie i dzikich: Witolda Beresia i Krzysztofa Burnetkę.

Dlaczego „dzikich"?

Było jakieś wydarzenie, którego szczegółów nie znam. Ale i za moich czasów zdarzało się, że do redakcji wchodziła jakaś laska, pruła prosto do naczelnego, nie było jak jej zatrzymać, i pytała, czy jest Witold Bereś. Szef odpowiada spokojnie, że nie ma, wyszedł. Laska na to: „A on tu, kurwa, pracuje jeszcze?". Dzikie wydarzenia, nie do pomyślenia w dawnym „Tygodniku". Z którego, nawiasem mówiąc, już prawie wszyscy nie żyją: Kisiel, Skwarnicki, Mamoń, Woźniakowski, Żychiewicz, Kozłowski, Pszon, Turowicz.

Ja na szczęście dość szybko zorientowałem się, że w gazecie jednak najważniejsze jest pisanie, a nie układanie książek i zamawianie recenzji. Ostatnia strona była luźniejsza, Kisiel pokłócił się z redakcją. Tym bardziej wiedziałem, że trzeba pisać i że to się dobrze skończy. Zostałem felietonistą „Tygodnika".

Ile lat tam pracowałeś?

Dziesięć. Od 1989 do 1999 roku.

Jak wspominasz ten czas?

To była dla mnie nauka, szkoła stylu. Obracałem się wśród ludzi bardzo inteligentnych, cieszę się, że mogłem grać w drużynie Jerzego Turowicza. Inteligentni katolicy – gatunek obecnie niewystępujący na ziemiach polskich, no, chyba że w Krakowie. Uwielbiałem obserwować ich powściągliwość, elegancję, relacje między redaktorem starym a młodym. Na przykład samo przyjmowanie mnie. Przyjmował mnie świętej pamięci Krzysztof Kozłowski, arbiter elegancji, Turowicz był wtedy na zwolnieniu lekarskim. Rok czy dwa przede mną został tam przyjęty mój kolega ze studiów, Adam Szostkiewicz. Siedzimy więc z Krzysztofem Kozłowskim, wchodzi Adaś, a Kozłowski pokazuje na mnie i mówi: „Namawiamy pana, żeby zechciał z nami pracować". I to było dobre. Albo jak Turowicz przynosił mój felieton, kładł na biurku i stukał palcem: „Znowu będzie samobójstwo". Albo jak kolejne zebranie kończył uwagą: „Najlepszy tekst w numerze – felieton Jerzego Pilcha". Pisałem następne po to, żeby on to znowu powiedział.

Wiele razy tak powiedział?

Dziesiątki razy. Na osiemdziesięciolecie Jerzego Turowicza ukazał się w „Polityce" felieton Wieśka Wła-

Z Janem Błońskim podczas promocji
Innych rozkoszy, 1995.

dyki, gdzie była uwaga, że teraz to pismo ma się całkiem dobrze, a felietony Jerzego Pilcha nadają całości ton. Dla mnie ważne rzeczy.

Czy ktokolwiek kiedykolwiek sugerował ci zmianę tematu felietonu albo w jakikolwiek sposób ingerował?

Nigdy. Pisałem, co chciałem.

Czyli traktowano cię jak pisarza, nie jak dziennikarza.

Chodź tu, masz teraz przeczytać dwa listy, od Jerzego Turowicza i Józefa Tischnera.

Zacytujmy je.

Kraków, 28 grudnia 1997
Drogi Panie Jerzy,
Z ogromną satysfakcją przeczytałem Pańskie „Tysiąc spokojnych miast". Gdybym był krytykiem, jak – nie przymierzając – Jerzy Jarzębski czy Jan Błoński, może potrafiłbym napisać, na czym polega to, że jest Pan wielkim pisarzem, na miarę Gombrowicza… A skoro nie jestem krytykiem, to powiem tylko, że bardzo rad jestem, że tak świetny pisarz jest członkiem naszej redakcji.
Serdecznie Pańską dłoń ściskam
Jerzy Turowicz

5 czerwca 1996
Wy mi się – kalwinie czy lutrze – coraz bardziej, kurwa, podobacie w tych felietonach.
x Józef Tischner

Z księdzem Józefem Tischnerem było raz tak, że on wchodził do „Tygodnika" na ulicy Wiślnej, ja za nim. Razem idziemy po tych schodach i on mówi to, co zacytowaliśmy, ale na schodach nikogo nie ma, a ja chciałem, żeby ktoś to rozpowszechnił – tak, pycha i próżność. Na szczęście, jak mówi Jerofiejew: straciłem przytomność, ale nie dałem tego po sobie poznać. Byłem na tyle zrywny, że spytałem, czy ksiądz profesor może mi to dać na piśmie. I dał. Siła tych jego góralskich dowcipów polegała między innymi właśnie na używaniu przekleństw. Na przykład jego kanoniczny dowcip: Było dwóch gazdów, jeden ma piękny dom, gospodarka kwitnie, przybywa hektarów, ziemi, zbiorów. Drugi mieszka w pobliżu i nic mu nie idzie, jest bliski bankructwa, chodzi do kościoła i modli się, żeby było lepiej. Pyta Boga: „Dlaczego mnie nic nie wychodzi, a temu drugiemu się udaje?". Na co otwierają się niebiosa, Pan Bóg się wychyla i mówi: „Bo ja cię, kurwa, nie lubię!".

Dygresja: czy ciebie Bóg lubi?

Na pewno mnie lubił.

Do kiedy?

Póki szło. Ale to jest trochę naiwne myślenie o Panu Bogu; bardziej sprzyja mi Dworkin, którego cytowaliśmy. To jest bardzo przekonujące, bo likwiduje dziwne fabuły biblijne, choć podstawa pozostaje biblijna. Ale rzeczywiście, w kategoriach wiary moich przodków to jestem jak ten Tischnerowski gazda, któremu nie idzie: „Panie Boże, co mam zrobić, żeby

W kawiarni Bambus z kolegami z „Tygodnika Powszechnego": Piotrem Mucharskim (z lewej) i Tomaszem Fiałkowskim (z prawej), Kraków 1995.

nie chorować, żeby krzyż nie bolał, żeby ręka się nie trzęsła, noga nie skakała?". I rozchylają się niebiosa i pokazuje się Pan Bóg, i mówi: „Spierdalaj, Pilchu!".

Wracając: w „Tygodniku" była specyficzna, prawie domowa atmosfera. I różne lokalne folklory. Na przykład gdy przychodził jakiś petent, to cała redakcja udawała, że go nie widzi, i stał bidok długo na środku. Tradycja taka francowata. Wariaci różni przychodzili. Wariat i grafoman Wąsik, którego wyrzucili z domu wariatów, bo podobno robił bałagan na oddziale. Wchodził i mówił: „Co ja się dzisiaj ludzi naprzesłuchiwałem!". Albo rzekomo gdzieś dzwonił, patrzył na Andrzeja Romanowskiego i mówił: „Jest tu taki jeden mały, co ma czarną walizkę pełną narkotyków".

Stary „Tygodnik": Turowicz, Kozłowski, Woźniakowski, Hennelowa, Pszon – wszystkie te spotkania były ważne, chociaż człowiek umierał ze strachu, że ktoś z nich powie coś po francusku. Jacek Woźniakowski był roztargniony, w sposób niepoczytalny, a udawał faceta, który nad wszystkim panuje. Kiedyś podchodzi do mnie i mówi: „Zdążył pan wtedy?". Ja nic nie pamiętam, a zarazem czuję, że próba wyjaśnienia tego, to jakiś nietakt, więc odpowiadam, że zdążyłem bez problemu. Odszedł uspokojony…

Chodziłeś do pracy codziennie?

Codziennie, przez dziesięć lat. Kiedy umarł mój ojciec, to Krzysztof Kozłowski przyjechał na pogrzeb do Wisły, to był gest. Odwiedził mnie w Szpitalu imienia Rydygiera, gdzie kilka razy byłem, mniejsza z jakich powodów; to się pamięta.

Dlaczego odszedłeś z „Tygodnika Powszechnego"?

Zła atmosfera się tam zrobiła, również wokół mnie. Ale niesporo mi o tym opowiadać. Po latach takie rzeczy brzmią małostkowo, pewnie były małostkowe, z poważnymi jednak konsekwencjami. Odszedłem – źle. Pojechałem do Warszawy – dobrze. Po latach wróciłem do „Tygodnika" – dobrze. Dobro zwycięża.

W każdym razie wtedy był grudzień, święta, zaraz po świętach było wręczenie Paszportu „Polityki", który wtedy właśnie dostałem. Zdzisław Pietrasik dzwonił, żeby mi o tym powiedzieć, a ja wiedziałem, że jeśli tylko padnie propozycja z „Polityki" – wejdę w to. Propozycja padła. Rychło pojawił się pomysł, żebym przeprowadził się do Warszawy. Przez jakiś czas miałem wynajęty hotel, ale potem w redakcji zorientowali się, że przyjeżdżam często, że wynajęcie dla mnie kawalerki wyjdzie taniej. Dość szybko mi ją znaleźli i otwarł się dla mnie zupełnie nowy rozdział.

Co czułeś przed tym nowym etapem, przed rozpoczęciem pisania do „Polityki"?

Nie było to najłatwiejsze, muszę powiedzieć. Byłem starym pisarzem, niby miałem jakieś przywileje, ale redaktor naczelny, Jerzy Baczyński na początku, był trochę pogubiony. Wielu go pytało: „Po coś Pilcha przyjął?". Ale ja miałem nowe miejsce, nowe mieszkanie i tego się trzymałem.

Jak długo pisałeś do „Polityki"?

Siedem lat.

Inaczej niż w „Tygodniku", dzisiaj widać to wyraźnie. Ogłosiłem na przykład konkurs na opowiadanie. Sam przeczytałem wszystkie teksty, opisałem, oddałem – i dobrze. Dzisiaj patrzę, a tu zwycięzca mojego konkursu, Zygmunt Miłoszewski, dostaje Paszport „Polityki". Dobrze, a nawet lepiej. O talencie Masłowskiej też ja napisałem pierwszy…

Andrzej Stasiuk wspomina, że i jego *Murami Hebronu* ty pierwszy się zachwycałeś.

Andrzej dodaje, że nie wiedział wtedy, kto to Pilch. I faktycznie, jako sprzedawca rysunków Mleczki nie byłem wtedy szeroko znany. Nie miałem pojęcia, kim jest autor fenomenalnych opowiadań, które naczelny „bruLionu", Robert Tekieli, pokazał mi w maszynopisie. Nawiasem mówiąc, byłem dziś w banku i urzędniczka wyznała mi, że kiedy czyta Stasiuka, to doznaje dreszczy, a nawet łez z zachwytu…

Piękny epizod…

Poleciłem jej wszakże zająć się przelewami.

*Zresztą – co tu ukrywać – wiodłem życie
raczej nieuporządkowane, życie bohaterów Rotha.
Warszawa 1999.*

Mieszkasz w Warszawie na stałe od kilkunastu lat, wiem, że pokochałeś to miasto. Od czego się zaczęło? Pamiętasz swoje pierwsze podróże do stolicy?

Zanim tu zamieszkałem, byłem w Warszawie pewnie nie więcej niż dziesięć razy, ale też nie mniej. Moi starzy przyjaźnili się z Wantułami. Pamiętam w latach sześćdziesiątych wracaliśmy z rodzicami znad morza i zatrzymywaliśmy się dwa-, trzy dni u biskupa na Kredytowej. Jedne z tych wakacji były szczególnie udane, wracaliśmy w bardzo dobrych humorach. Wtedy ojciec kupił mi w Warszawie trzy rzeczy: powieść *Przygody Robin Hooda*, którą potem czytałem maniakalnie kilkadziesiąt razy, żółty ołówek czeski Koh-i-noor, mechaniczny – mam go do dziś – i piękny notatnik. Przedmioty, które potem strasznie lubiłem, to pamiętam. Pamiętam też mieszkanie Wantułów, ich bibliotekę, której wzór został podświadomie powtórzony w moim mieszkaniu. To w dzieciństwie. Potem w szkole średniej przyjechałem na finał olimpiady polonistycznej. Mieszkaliśmy w schronisku PTTK przy pomniku Kopernika. A potem chyba dopiero po wizy się jeździło albo do jakichś urzędów. Ile razy przyjechałem, to było zimno, wicher i deszcz, straszne miasto. Dziwnie rozległe, nieprzytulne, ruska architektura, czyli nie ma ulic, są prospekty. Lądowałem na tym dworcu, kompletnie nie znając Warszawy, a przy moich różnych szajbach nie było mowy, żebym wsiadł do autobusu i dojechał do celu, więc szedłem. W ten deszcz, na piechotę, kilka kilometrów.

Cokolwiek się tobie wtedy w Warszawie podobało?

Nie. Wtedy nawet by mi do głowy nie przyszło, że tu wyląduję, dobrze mi było w Krakowie.

Ale mamy rok 1999, dostajesz wiadomą propozycję i przeprowadzasz się do Warszawy. „Polityka" wynajmuje ci kawalerkę nad rondem ONZ.

Z szefową sekretariatu pojechaliśmy oglądać mieszkania, to nad rondem ONZ było pierwsze. Dobry widok, blisko do pracy, czułem, że coś tam napiszę. Po zawirowaniach zawodowych w „Tygodniku Powszechnym" nie wahałem się w ogóle, wziąłem to. Dwadzieścia metrów kwadratowych na dwunastym piętrze. Bardzo dobrze się tam czułem, z wyjątkiem tego, że raz od hałasu na rondzie ogłuchłem. Był też groźny, wścibski dozorca. Nawiasem mówiąc, spotkałem go ze dwa lata temu na ulicy, miał rodzaj kuriozalnej trwałej na głowie. Ale w sumie spędziłem w tamtym mieszkaniu niezłe trzy lata. Wadą było to dwunaste piętro, ale to wyszło dopiero latem, w czasie upałów – strasznie grzało przez dach.

Byłem sam, ale od razu wyznaczyłem sobie trasy przez księgarnie, przez Dworzec Centralny. Zachwycało

Dwadzieścia metrów kwadratowych nad rondem ONZ na ul. Śliskiej w Warszawie, 1999.

mnie, że codziennie widzę Pałac Kultury. I to było dobre. Z drugiej strony, Warszawa jest trudna. Moim śladem z „Tygodnika Powszechnego" do „Polityki" jeszcze dwóch kolegów przeszło, Adam Szostkiewicz i Krzysiu Burnetko. Z naszej trójki tylko Szostkiewicz wytrwał.

Jakie dokładnie były twoje trasy? Przemierzałeś Warszawę głównie pieszo.

Przemierzałem pieszo, bo próby moich podróży autobusami zakończyły się kompletnym fiaskiem. Raz mnie złapał kanar. Skasowałem bilet, ale się nie odbiło. Wysiedliśmy razem, on chce dokumenty, ja daję. On patrzy na mój dowód, miejsce urodzenia: Wisła, tam gdzie Małysz, ale od razu powiedziałem, że nie znam go osobiście. Potem kanar doszedł do miejsca zameldowania, a to były moje początki w tym mieście, byłem już wymeldowany z Krakowa, jeszcze nie zameldowany w Warszawie. I on patrzy na mnie i mówi: „Ach tak, to pan specjalnie na gapę jeździ, bo wie pan, że nie mogę pana spisać!". Z pogardą puścił mnie wolno. Spróbowałem drugi raz, wsiadłem na przystanku przed Świętokrzyską, chciałem pod uniwersytet, do księgarni, ale autobus podjechał jeden przystanek, pod Dworzec Centralny, i wszyscy ludzie wysiedli. Takie przygody, jak dla mnie wystarczające, żeby nie podejmować więcej prób. Chodziłem na piechotę, moja trasa kanoniczna wiodła z ronda ONZ Świętokrzyską do Nowego Światu, Nowym Światem do Empiku, za Empikiem Kruczą aż do Hożej, Hożą, potem Marszałkowską do Dworca Centralnego i już byłem blisko domu. Często kupowałem książki, rozglądałem się po mieście, mijałem tę bramę na Hożej, gdzie teraz mieszkam. Jadałem w Ti Amo na Święto-krzyskiej i w nie istniejącym już Tam Tamie na Foksal.

Po trzech latach nad rondem ONZ kupiłeś mieszkanie na Hożej.

Kawalerkę wynajmowała „Polityka", wiedziałem, że dłużej się tak nie da. Szukałem nowego mieszkania i znalazłem to.

Co najbardziej lubisz w swoim mieszkaniu?

Dobrze się tu czuję. Wszedłem do pustych ścian i zro-biłem je dokładnie tak, jak chciałem. Zresztą kto-kolwiek tu przychodzi, podkreśla klimatyczność tego mieszkania. Po przeprowadzce wznowiłem spacery – tą samą trasą, tylko ruszałem z Hożej.

Masz jakieś ulubione miejsca?

Księgarnie oczywiście. Była takim miejscem też Green Caffè na Marszałkowskiej, ale w pewnym momencie poczułem, że straciłem anonimowość, pojawili się rozpoznawacze wariaci. Poza tym moja dolegliwość narastała, mogłem pić colę tylko z gwinta. Hoża jest dobrym miejscem, ale sąsiednia Wilcza też nim jest. Naprawiają tam na przykład maszyny do pisania, jest artystyczne cerowanie garderoby – wielka rzad-kość i są usługi krawieckie. Ostatnio byłem tam kilka razy, bo dałem wszystkie spodnie do zwężenia.

Odwiedzasz kogoś w Warszawie?

Nie, ja u nikogo nie bywam. I prawie nikt nie bywa u mnie.

Teatr to nie była chemia mojego dzieciństwa ani mojej młodości, żaden przedmiot zainteresowań. Nigdy też nie przeżyłem wstrząsu po przeczytaniu tekstu dramatycznego. Pierwsze doświadczenia teatralne to wczesna podstawówka, jakieś teatry kukiełkowe z Cieszyna czy z Bielska, ale śladu to nie zostawiło. Pewne wrażenie robiły spektakle wystawiane w parafii przez chórzystów – obrazowały sceny z życia naszego reformatora Marcina Lutra, który, nawiasem mówiąc, nie zalecał nigdzie chodzenia do teatru. Stawiał wyłącznie na muzykę, sam pisał pieśni kościelne, ale żeby razem z muzyką przyszła miłość do literatury czy teatru – to nie bardzo. Mało z tych spektakli pamiętam, ale pamiętam zasadę teatru jako miejsca odrealnionego, a zarazem rzeczywistego, osobliwego przedłużenia rzeczywistości.

Po przeprowadzce do Krakowa ojciec kupił na olimpiadę w 1964 roku telewizor i tu muszę oddać hołd Teatrowi Telewizji. Powszechny był zwyczaj oglądania teatru w poniedziałki, w moim domu również, a jego rola edukacyjna – nie do przecenienia. Miałem czasem karę nieoglądania telewizji, ale z kolei oglądać teatr w poniedziałek musiałem. Pamiętam wspaniałych autorów, klasyków teatralnych. Jak masz co tydzień taką premierę, to zaczynasz się orientować, kto Molier, kto Szekspir, kto Fredro. Ale nie przekładało się to na taką samą intensywność w rzeczywistości teatralnej.

Czasem matka wyjeżdżała na różne kursy farmaceutyczne albo jechała do Wisły i zostawałem sam z ojcem. Wtedy on, z właściwą sobie psychiatryczną przesadą, dbał o to, bym miał atrakcyjny weekend bez mamy. Polegało to na przykład na obejrzeniu czterech meczy pod rząd. Raz, wracając z meczu Garbarni Kraków, przechodziliśmy obok teatru Rozmaitości, dzisiaj Bagatela, grali akurat *Świerszcza za kominem* Dickensa. Postanowiliśmy wejść. I to chyba była moja pierwsza wizyta w prawdziwym teatrze. Pamiętam scenę, pamiętam aktorów, podobało mi się, ale znowu nie tak, żebym następnego dnia leciał na powtórkę.

Chodziliśmy też czasem do teatru, gdy matka dostawała bilety, najczęściej do Starego. Dzięki temu zobaczyłem w ósmej klasie świetne *Tango* Jerzego Jarockiego z Janem Nowickim w roli Artura. Ze szkołą byliśmy na *Śnie nocy letniej* Konrada Swinarskiego z Wojciechem Pszoniakiem. Na studiach edukował mnie teatralnie Tadeusz Słobodzianek – człowiek jest w stanie powiedzieć, który aktor którym półdupkiem pierdnął pięćdziesiąt lat temu w Teatrze Wybrzeże, na spektaklu, którego pies z kulawą nogą nie widział. Ja z wrodzoną nabożnością w stosunku do ludzi, którzy wiedzą nieskończenie więcej, uznałem go za swój autorytet teatralny. Nigdyśmy się o nic nie pożarli, być może dlatego, że łączy nas prawdziwa męska przyjaźń, która opiera się na rozmowie raz na trzy lata.

Widziałem między innymi *Dziady* Swinarskiego, bo mieszkając wtedy w Krakowie, niepodobna było ich nie widzieć. Pamiętam bardzo dużo: Jerzego Trelę, dziwną rosyjską muzykę, różne epizody. Widziałem też *Biesy* w reżyserii Andrzeja Wajdy, mocne wrażenie. Na *Wyzwolenie* Swinarskiego kazał mi iść Tadek, bardzo mi się podobało. Nie wiem, czy jakiemukolwiek reżyserowi potem to wyszło, Wyspiański, poza bardzo fortunnymi *Weselem, Klątwą* i *Sędziami,* to jednak czysta grafomania. W ogóle cała moja pamięć o tamtym teatrze to mieszanina widzianych spektakli z zawartością czaszki Słobodzianka – komentowałem tak jak on, śmiałem się wtedy kiedy on. Tadek znał zresztą Konrada Swinarskiego, chodził na próby i na spektakle po kilkanaście razy, płakał, gdy się dowiedział, że Swinarski zginął.

Pamiętam też, z czasu nieco późniejszego, świetną *Śmierć Iwana Iljicza* Tołstoja w reżyserii Jerzego Grzegorzewskiego. Wybitny spektakl, chociaż teoretycznie kompletnie nie po mojej linii. Znałem wcześniej tekst Tołstoja, ale Grzegorzewski wyciął całe tło realistyczne, zostawiając na scenie wielką równoważnię i Jana

Peszka na niej. Mimo to nie ulegało najmniejszej wątpliwości, że człowiek, który zrobił ten spektakl, ma bardzo gruntownie przemyślane opowiadanie Tołstoja, wie, jak to jest napisane, wie, co jest najważniejsze w tym opowiadaniu, i z tych elementów zbudował rzeczywistość kompletnie inną niż u Tołstoja, ale zarazem wierną mu co do szczegółu.

Drugim niebywałym spektaklem Grzegorzewskiego, który zapamiętałem, był *Giacomo Joyce* z 2001 roku, na podstawie poematu Jamesa Joyce'a. Był to, zdaje się, pokaz zamknięty, do premiery ostatecznie nie doszło. Rzecz działa się w foyer i w szatni Teatru Narodowego; niezwykła świetlistość przestrzeni, gołe aktorki, orkiestra na żywo, wspaniały Jurek Radziwiłowicz – feeria najrozmaitszych doznań.

Drugi raz w życiu teatralne wzmożenie przeżyłem dzięki tobie, na początku tego tysiąclecia w Warszawie. Przez kilka lat obejrzałem wtedy literalnie wszystko, co grali w warszawskich teatrach. Pamiętasz, na czym żeśmy byli pierwszy raz w teatrze w 2000 roku?

Nie pamiętam. Może *Kto się boi Virginii Woolf?* w Teatrze Powszechnym?

Nie. Coś innego. *Kaleka z Inishmaan* może, w Powszechnym, to było dobre, Irlandczycy byli wtedy na fali; pamiętam też *Tamę* w teatrze Studio z Krzysztofem Majchrzakiem. I jeszcze coś trudnego w Fabryce Trzciny, w reżyserii Piotra Cieplaka, bez słów. I *Wymazywanie* Krystiana Lupy było rewelacyjne. Aha, jeszcze *Shopping and Fucking*, gdzie nikomu nieznanego Roberta Więckiewicza rozpoznałem jako utalentowanego piłkarza, gdy kopnął puszkę podczas spektaklu.

Potem go zaprosiłem do gry. Razem z chłopcami z „Polityki" graliśmy wtedy co niedzielę o dziesiątej rano w piłkę i od pewnego momentu szukaliśmy ludzi, żeby nam nie odebrali boiska. Pijący w sobotę wieczór nie przychodzili, nas tam czasem było czterech, trzeba było zacząć łapankę. Patrzę na scenę, a Więckiewicz kopie puszkę poprawnie. Zadzwoniłem do Natalii, jego żony, bo miałem jej numer, i pytam: „Czy twój mąż gra w piłkę?". „Gra". Więckiewicz przyjechał i sytuacja była dość kłopotliwa, bo przyprowadzam nowego zawodnika, koledzy pytają go: „Co robisz?", a on na to: „No, aktorem jestem". Wtedy mało kto o nim słyszał. Byłem też z tobą na jakimś Hanuszkiewiczu.

Na *Ojcu* Strindberga.
To było dobre. I *Śmierć komiwojażera* z Gajosem.

Zgadza się. Nie pamiętam, czy ci się to podobało.
Raczej tak.

Ale nie zmuszałeś się do tego teatru?
Nie, wręcz przeciwnie, lubiłem bardzo. Byłem gotów przez dwa lata pochodzić i pisać teksty tylko o teatrze, ale Jurka Baczyńskiego ten pomysł nie zachwycał.

W 2004 roku w Teatrze Narodowym odbyła się premiera twojej sztuki *Narty Ojca Świętego*...
...i przekonałem się wtedy dobitnie, że człowiekiem teatru nie jestem. Dzięki Bogu, jakoś Piotruś Cieplak pomógł, uratował ten tekst. Bo akcja przez godzinę

stoi w miejscu, aktorzy tylko gadają. Ale mieli z tym jakieś sukcesy w Ameryce czy gdzieś, pojeździli trochę. Parę lat minęło, ciągle czekam na nowy pomysł teatralny, idzie to, szczerze mówiąc, dość opieszale.

Pozostaniesz autorem jednego monodramu i jednej sztuki?

Na to wygląda.

Ale mówisz, że lubisz pisać dialogi.

Lubię pisać dialogi, ale u mnie sytuacja prawie zawsze stoi. To chyba nie jest dobre w teatrze…

ZAWSZE NIE MA NIGDY

Deptak w Wiśle.

Kiedy zapałałeś miłością do piłki nożnej?

Zacznę od tego, że w tym sezonie – a mamy lato 2015 roku – wznowiła rozgrywki ekstraklasa, w której jest klub Cracovia. Po paru kolejkach jest na drugim miejscu. Jeśli nadal będą grać tak jak do tej pory, będzie to oznaczać, że ja, po przeszło pięćdziesięciu latach czekania, dożyłem istnienia klubu, o jakim zawsze marzyłem, klubu walczącego o miejsce w czołówce – aż się boję tej radości. Mam dziś sześćdziesiąt trzy lata, pół wieku temu, mając lat trzynaście, byłem już bardzo zaawansowanym kibicem. Ojciec po raz pierwszy wziął mnie na mecz Cracovii, jeszcze zanim przeprowadziliśmy się do Krakowa, czyli zanim skończyłem dziesięć lat. On studiował wtedy na AGH i wynajmował pokój u pani Majowej na Filareckiej 10. Ulica Filarecka łączy plac Na Stawach z boiskiem Cracovii, do stadionu mieliśmy pięćdziesiąt metrów. W tamtych czasach chodziło się na wszystkie mecze, także na treningi. Zostałem kibicem głównie z powodu pasiastych koszulek, wydawało się to czymś zupełnie niespotykanym. Teraz, po fakcie, wiem, że podobne koszulki mieli Włosi: Inter Mediolan, Juventus Turyn, argentyńskie drużyny hiszpańskie. Cracovia była pod względem galanterii odzieżowej w czołówce europejskiej. Oczywiście dziś pasy mają też inne polskie kluby, prawie identyczne koszulki złoto-czerwone. Są to dwa kluby „królewskie": Jagiellonia Białystok – jak wiadomo, w Białymstoku istnieje silna tradycja tronu polskiego, i drugi – Korona Kielce. Kielce – odwieczna stolica Polski, siedziba głów koronowanych. Wracając do Cracovii: zostałem kibicem i już nie dało się tego usunąć, ta sama emocja przez ponad pięćdziesiąt lat.

Dla mnie kibicowanie to niepojęty fenomen. Pamiętam, jak pierwszy raz usłyszałam hasło: „Pan Bóg przebacza, Cracovia nigdy!". Brzmiało to dość groteskowo, Cracovia ostatnie kilkadziesiąt lat głównie przegrywała i wypadała z grup, była klubem nieszczęściem. Jak inteligentny człowiek, kibic, może to pogodzić?

Właśnie niemożność tego pogodzenia wprowadza w poetycki zachwyt! W przypadku Cracovii było tak, że im było gorzej z klubem, tym kibice byli groźniejsi. Ja w dodatku zostałem kibicem Cracovii, chociaż urodziłem się w Wiśle; nie wiedziałem wtedy, że paradoks ten zaciąży na moim życiu. Wszyscy wiślanie kibicowali Wiśle Kraków. Gdy w Wiśle szedłem do jakiejś knajpy obejrzeć mecz, bo moja matka nie ma Canal+, to cała sala była nabita wiślokami, a w kącie ja jeden kibicujący Cracovii i jakiś sąsiad, chcący mi zrobić uprzejmość.

Miałem takie szczęście, albo takiego pecha, że mój pierwszy mecz, który chyba nawet nie był ligowym meczem, Cracovia pewnie wygrała trzy do zera. Równie mocno działały walory wizualne stadionu: Cracovia miała drewniane malownicze trybuny, dziwne spadziste dachy, zakamary, tunele – jakaś tajemnicza budowla, która przypominała oszańcowanie zamku średniowiecznego. W latach sześćdziesiątych ta część stadionu spłonęła, krążyła wersja, że to Cracovia spaliła własne trybuny, żeby dostać odszkodowanie. Gdyby budowla przetrwała, dziś byłby to chyba zabytek klasy zero.

Krótko po tym pierwszym meczu poszliśmy na mecz Wisły Kraków, grała ze Stalą Sosnowiec. Był to najnudniejszy mecz, jaki widziałem w życiu, istna męka. Poza tym na boisku Cracovii piłkarze byli blisko, dzielił ich od nas tylko tor kolarski. A na Wiśle stadion lekkoatletyczny z bieżniami, jakaś stalinowska przestrzeń – żeby widzieć piłkarzy, potrzebna była lornetka.

Początek lat sześćdziesiątych to też czas raczkowania telewizji i pierwszych relacji sportowych. Chodziłem na mecze do doktora Gajdzicy, w sąsiedztwie. W Wiśle telewizor mieli on i profesor Zamorski, dziwak, którego się bałem. W roku 1962 oglądałem pierwszy finał Pucharu Europy, Real Madryt – Benfica Lizbona. O Benfice mało wiedziałem, poza tym, że egzotyczna, sporo więcej o Realu Madryt, który był od zawsze pompowany jako król. Poza tym w składzie Realu grał Węgier. A jedną z najlepszych reprezentacji na świecie w latach pięćdziesiątych była reprezentacja

Węgier. Pojechali na przykład do Londynu, publiczność londyńska oczekiwała, że będzie miała kogo wyśmiać, a Węgrzy wygrali tam sześć do trzech. Gromili, kogo chcieli, do upadku reżimu Rákosiego. Potem raczej nie wracali na Węgry, lądowali w innych krajach. Puskás, bo o nim mowa, wylądował w Madrycie. A kibicem Realu byłem, zanim ich w ogóle zobaczyłem. Podobało mi się, że grają w Hiszpanii – to było doświadczenie dzieciństwa, po którym powinienem zostać wielkim podróżnikiem. Bezpośrednie transmisje, fakt, że mecz jest o ósmej wieczór, w dajmy na to centrum Amsterdamu czy właśnie Madrytu, i że za plecami kibiców jest normalne, tętniące życiem miasto, letni zmierzch, czynne sklepy, jakieś idące pary – działał na mnie niesłychanie, od dziecka mnie to dręczyło. Bezpośrednia transmisja z meczu jest też bezpośrednią transmisją z odległego miasta. Pierwszy widziany przeze mnie mecz Realu zaczął się tak, jak powinien się zacząć: po znakomitym podaniu Di Stéfano Puskás strzelił pierwszą bramkę, potem padały następne, Real Madryt prowadził trzy do jednego. I nagle początkująca gwiazda futbolu portugalskiego, niejaki Eusebio, doprowadziła do haniebnego wyniku pięć do trzech i zwycięstwa Benfiki. Płakałem rzewnymi łzami. Czy doktor Gajdzica płakał ze mną – nie pamiętam. Do dziś lubię mecze Realu.

Jakim jeszcze drużynom kibicujesz?

Zwykle jest tak, że kibicujesz drużynom ze swojej miejscowości – u mnie był to Start Wisła. Potem Cracovia, ale tu byłem skazany na optykę drugiej ligi.

W pierwszej lidze kibicowałem Górnikowi Zabrze, miał wtedy spektakularne sukcesy międzynarodowe, do dzisiaj jest jedyną polską drużyną, która grała w finale Pucharu Europy.

A kluby zagraniczne, poza Realem Madryt?

Od czasu gdy na Mistrzostwach Świata w 2014 roku Brazylia przegrała z Niemcami jeden do siedmiu, mój świat runął. To był mecz, w który nie wierzę do dzisiaj, przerażający widok płonącego mitu Brazylii.

Jako wytrawny kibic jak to wytłumaczysz? Czy Brazylia w pewnym momencie odpuściła, czy walczyli do końca, ale byli po prostu o wiele słabsi?

Nie wiem. Do dziś mam nadzieję, że to była ułuda, a niebawem badacze futbolu odkryją prawdziwy rezultat.

Jakie inne mecze pamiętasz?

Pamięta się głównie finały, te, które szły po myśli. Na przykład finał mistrzostw w 1970 roku w Meksyku, Brazylia – Włochy, cztery do jednego. Miałem osiemnaście lat, oglądałem mecz w Wiśle, na czeskim kanale Ostrava. Świat wtedy istniał.

W Warszawie chodziłeś na mecze?

Chodziłem na Legię. Raz umówiłem się na mecz ze Stefanem Szczepłkiem i czekałem pod stadionem. Kibice się schodzili i w pewnym momencie zobaczyłem, że zbliża się do mnie kilku „karków", kibiców „siłowych", tak to nazwijmy. I jeden odrywa się od nich, podchodzi blisko i mówi: „Szkoda, że jest pan kibicem tak chujowej drużyny". I poszedł.

Byłem też kiedyś na Polonii. Nawiasem mówiąc, Polonia Warszawa miała podobne losy jak Cracovia – zawsze gorsza, zawsze bez pieniędzy, nieliczni kibice, trwanie w kulcie, że kiedyś było się mistrzem. I kiedyś weszli do pierwszej ligi, chyba pierwszy raz po kilkudziesięciu latach, był mecz Cracovia–Polonia. Dostałem zaproszenie do loży VIP-ów – ma to swoją dobrą i złą stronę. Złą, bo nie bratasz się z normalnymi kibicami, dobrą, bo miałem obok siebie Gustawa Holoubka. Po przeciwnej stronie natomiast Stefana Friedmanna. Friedmann gadał cały czas, Holoubek nie odezwał się przez cały mecz, raz tylko poderwał się i ryknął: „A bramkarz stoi jak chuj!".

Często mówisz, że za pomocą pojęć używanych w piłce nożnej da się opisać cały świat.

Bo tak jest. Wszystko jest pojedynkiem, wszystko jest taktyką, zawsze może nastąpić przerzut z głębi pola, nieoczekiwany zwrot akcji, zawsze możesz poczuć niewytłumaczalną słabość, jakby cię nagle opuściły siły. O samej piłce nożnej mało da się powiedzieć językiem literatury. To jest ordynarnie prosta gra, dlatego zresztą jest tak popularna, sama mówiłaś, że chłopcy grają w Afryce w czterdziestostopniowym upale, boso, zgniecioną plastikową butelką. Zatem jest to popularne, bo jest proste. Napiszesz opowiadanie o rozterkach psychologicznych bramkarza? Raczej nie. Ma złapać piłkę i nie puścić.

Z Albrechtem Lemppem w Wilnie, 2002.

Barcelona 2005.

Prawdziwa relacja do mistrza jest, gdy mistrz jest starszy. Dziś mam z tym kłopot, mało który zawodnik jest starszy ode mnie. Trzeba iść na mecz, patrzeć, jak grają dorośli, i marzyć o tym, że sam będę tak grał. Ostatni, którymi się zachwycałem, to była drużyna Kazimierza Górskiego w 1974 roku, miałem wtedy dwadzieścia dwa lata. Marzeń, że będę piłkarzem, już nie miałem, ale byłem na tyle młody i tyle świata było przede mną, że tamten sukces wrył się na dobre w moją pamięć i jestem do dziś w stanie powtórzyć nazwiska całej jedenastki plus rezerwowych. Ale prawdziwi idole są zawsze starsi, zawsze z drużyny, której się kibicuje. Pamiętam zawodników Cracovii: Krzysztofa Hausnera, skądinąd stryja byłego wicepremiera Jerzego Hausnera, potem Janusz Kowalik, wielki talent, Andrzej Rewilak – obrońca, Leopold Michno – bramkarz.

Przypomniała mi się teraz głośna historia związana z Legią Warszawa. Oni też mieli w latach sześćdziesiątych i siedemdziesiątych sukcesy, byli drużyną wojskową, mieli różne przywileje, przyzwyczajeni do pewnej bezkarności. Wtedy w Polsce obowiązywał bardzo surowy zakaz wywozu dewiz. Legia miała jechać na pucharowy, półfinałowy?, mecz z Feyenoordem Rotterdam. W klubie grał utalentowany, zadziorny zawodnik Janusz Żmijewski, który podobno chciał wywieźć niebotyczną ilość tych dewiz, zdaje się, dwadzieścia tysięcy dolarów. Ktoś zakapował, w czasie rewizji na granicy to znaleźli. Normalnie byłby od razu zatrzymany, ale wdały się tu jakieś porachunki wewnątrz władzy wojskowej, ktoś tam go obronił i cały autobus pojechał dalej. Dostali tylko do obstawy samochód pełen ubeków. Z Holandii wrócili wszyscy piłkarze i połowa ubeków.

Powiedziałeś, że pierwsze transmisje meczów budziły w tobie ciekawość świata, chęć sprawdzenia, co dzieje się w miastach poza stadionem. Nie zostałeś jednak podróżnikiem; wiem, że nie lubisz wyjeżdżać. Skąd to się wzięło? Nie lubisz, odkąd pamiętasz?

Na pewno nie było to, że tak powiem, od urodzenia. To znaczy przez pewien czas jeździłem i lubiłem. Oczywiście nie żebym spędzał noce z globusem i z palcem na mapie planował, ale jeździłem bez specjalnych oporów. I sporo tego było, choć od pewnego czasu jeździłem tylko na promocje i tłumaczenia swoich książek. Sama byłaś świadkiem ostatnich podróży, do Barcelony i Rzymu w 2005 roku. Wydaje mi się, że od tego czasu nigdzie nie byłem w sensie ścisłym, nawet Polski nie zwiedzałem. Więc to były moje ostatnie podróże, ale już przed nimi jeździłem niechętnie, nie lubiłem ruszać się z miejsca. Na przykład pamiętam Albrechta Lemppa, mojego świętej pamięci tłumacza, arcyspokojnego i wyrównanego w swych obowiązkach człowieka, który się niczym nie denerwował, ale gdy czekał na mnie na lotnisku w Moskwie, a ja zadzwoniłem z ronda ONZ, że jednak nie przyjadę, to Albrecht stracił polor Europejczyka, opierdolił mnie i zaczął krzyczeć. To było nie do pojęcia. Oczywiście nieco się spolonizował, to znaczy na przykład trochę mu brzuch wyrósł, był takim Niemcem, który w Polsce czuł się bardzo dobrze

Najciekawszy jest współczesny Rzym. Rzym Felliniego. Rzym 2005.

Z Jerzym Stuhrem na kopcu Kościuszki w Krakowie, po premierze *Spisu cudzołożnic*, 1995.

Jednej podróży, która by była supernieudana, nie pamiętam, nie miałem czegoś takiego. Po prostu zostałem domatorem, jakbym miał teraz gdzieś jechać, to sam termin wykończyłby mnie nerwowo. Ja myślę, że to jest genetyczne. Ważną postacią w moich książkach jest moja babka, która w ogóle nigdzie nie jeździła, nigdzie się nie ruszała i nie cierpiała z tego powodu. Ona całe życie czytała dwie książki, to jest Biblię i samochodowy atlas świata, bo akurat był w domu. Nigdy nie była w Warszawie, w Krakowie chyba dwa razy, poza Wisłę się nie ruszała. Rozpoznałem w sobie bardzo dużo rozmaitych genów moich przodków, po babce wziąłem niechęć do podróżowania. Dla niej wyjazd oznaczał zostawienie domu, tego się nie praktykowało. Poza wszystkim podróż, zwłaszcza podróż literacka, to nuda. Przychodzi propozycja: masz jechać tu i tu, to bierzesz to i to. Nie zdajesz sobie sprawy, że wyjazd, nawet do obcego państwa, to jest zawsze to samo: identyczne hotele, identyczne wieczorki. Mnie to zaczęło nużyć.

A w dzieciństwie, gdy czytałeś obcojęzycznych pisarzy albo książki, których akcja toczy się w różnych zakątkach świata, nie miałeś ochoty zobaczyć tych miejsc?

Nie. Nie ma we mnie w ogóle żadnej ciekawości, a nawet jest niechęć do zwiedzania miejsc pisarza. Szukanie magii miejsca, *genius loci* na przykład Tomasza Manna, wydawało mi się czysto frajerskie, ponieważ pisarz i tak zniekształca rzeczywistość i zagina ją po swojemu.

Chyba z nerwów. Sama bywasz w Afryce i twoje opowieści nie są specjalnie zachęcające. Jeśli ktoś musi mieć komfort absolutny, własną łazienkę i dowiaduje się, że tego nie ma – to ja nie jadę. W Afryce mnie zresztą nikt nie tłumaczył.

Zapamiętałem szczególnie podróż do Rzymu. Nawet jak się jest takim człowiekiem jak ja, który uważa, że zwiedzanie jest katorgą, to mimo wszystko Rzym robi wrażenie. Najciekawszy oczywiście nie od strony Forum Romanum, najciekawszy jest współczesny Rzym. Rzym Felliniego, nie Rzym antyczny. Nie mam takiej przygody z włoską literaturą jak z włoskim filmem, Fellinim właśnie, Viscontim – chociaż to już były inne tonacje.

Fellini ważny, bo on swoim planem filmowym dołączył do wielkich opowiadaczy dwudziestego wieku, jak Mann czy Tołstoj. Włosi nie mają wielkiego opowiadacza w literaturze, ale mają Felliniego. Jakbym miał wymienić ważnych dla mnie reżyserów, tobym powiedział: Forman z okresu czeskiego, czyli *Pali się, moja panno*, *Miłość blondynki* i *Czarny Piotruś*, potem Fellini, Bergman, Wajda. Bergman głównie za jeden film, to znaczy *Fanny i Aleksander*, Fellini za *Rzym*, *Amarcord*, *A statek płynie*, *Próbę orkiestry* i za sporo wcześniejszych *Klaunów*. Andrzej Wajda ma tych sześć czy siedem filmów genialnych: *Popiół*

Byłem na stypendium w Iowa City, gdy „Spis cudzołożnic" zdobył na Festiwalu w Gdyni nagrodę za dialogi. Dla Amerykanów brzmiało: mój film wygrał w Hollywood, mam a lot of money i jestem człowiekiem wielkiego sukcesu.
Me and two other writers, Iowa City 1994.

i diament, *Ziemię obiecaną*, *Wesele*, *Brzezinę*, *Panny z Wilka*, *Człowieka z marmuru*, a także *Krajobraz po bitwie*. Film generalnie jest sztuką młodości. Wielu jest starych mistrzów, ale niewielu starych uczestników, publiczność jest młoda. Idziesz czasem rano do kina studyjnego i oglądasz film, o którym jako młody człowiek, maturzysta, masz prawo jeszcze myśleć: Jak dorosnę, zrobię coś takiego, zostanę reżyserem.

Pamiętam, że pewne wrażenie zrobiło na tobie odnalezienie swojego nazwiska w międzynarodowej bazie filmowej Internet Movie Database z opisem *„actor"* i *„writer"*. Pierwszy raz jako „aktor" pojawiłeś się w filmie na podstawie twojej własnej powieści, w *Spisie cudzołożnic*. Jak do tego doszło?

W *Spisie cudzołożnic* był taki pomysł, że w tle pojawiają się migawkowo postaci kojarzone z Krakowem, między innymi Piotr Skrzynecki, „Żuk" Opalski, bracia Janiccy od Kantora, no i autor książki, czyli ja. Pamiętam, że byłem trochę oszołomiony tym, że w centrum miasta kręcą zdjęcia do mojej powieści.

Kto zadzwonił do ciebie z pomysłem ekranizacji tej powieści?

Operator Witold Adamek. Zdaje się, że on też wymyślił Jerzego Stuhra jako reżysera. Adamek, który pracował wcześniej ze Stuhrem wiele razy, wiedział, że ma on reżyserskie zapędy i że jakaś reżyseria wisi w powietrzu. Oficjalna wersja jest taka, że Adamek podsunął Stuhrowi książkę. Podobno Stuhr pokazał scenariusz Kieślowskiemu, który jeszcze żył i który szczerze robienie tego filmu mu odradzał, twierdził, że lepiej zacząć od czegoś realistycznego, a nie od piwnicznych, krakowskich klimatów. W ogóle się tą oceną nie przejąłem, bo uważałem, że Kieślowski ma rację, że moja proza się na ekran kompletnie nie nadaje. Chociaż sam pomysł ucieszył mnie – pamiętam, że odebrałem telefon od Adamka, nie do końca usłyszałem, nie do końca kojarzyłem nazwisko, jakoś to amatorsko zabrzmiało, że dopiero ktoś kogoś będzie namawiał… Takich telefonów, „projektów", były wcześniej dziesiątki. Tym razem było inaczej.

Figurujesz jako współautor scenariusza.

Jest taki obyczaj, że autora adaptowanej książki wpisuje się jako współautora scenariusza albo dialogów, natomiast żeby siedzieć przy biurku z Jerzym Stuhrem czy Witoldem Adamkiem – to nie siedziałem. Debiutowałem wtedy jako scenarzysta i jako człowiek filmu, miałem też ciekawą sytuację towarzyską: *Spis cudzołożnic* w 1995 roku w Gdyni zdobył nagrodę za dialogi, ja byłem akurat na stypendium w Iowa City. I opowiadałem tam, zgodnie z prawdą, że film według mojej powieści dostał nagrodę na festiwalu filmowym, co dla Amerykanów brzmiało: mój film wygrał w Hollywood, mam *a lot of money* i jestem człowiekiem wielkiego sukcesu.

Film ci się podobał?

Ani mi się podobał, ani mi się nie podobał. To znaczy przeważały uczucia bardzo życzliwe, film jakoś łapie klimat, nie wiem, czy mojej książki, ale krakowski na pewno. Dał mi też asumpt do myślenia, że podstawowe doświadczenie autora książki w kwestii adaptacji filmowej jest takie, że nie ma uczuć pozytywnych czy negatywnych, ale ma nieustanne zdziwienie. Przecież ja nie wiem, jak wygląda mój bohater, nie piszę wedle wyświetlającego się filmu w mojej głowie. Być może są pisarze, jacyś arcyrealiści, którzy w danej sytuacji wiedzą, czy bohater jest w trampkach, czy w tenisówkach, jakie ma spodnie i tak dalej. Ja takich szczegółów nie znam; wiem, co mówi, mniej więcej wiem, jak myśli i w jakim stopniu jest sprawczym czynnikiem uruchamiającym jakąś fabułę. Nie wiem, jakie rysy ma Gustaw, przyjąłem więc, że jest Stuhrem, tak jak Kmicic jest Olbrychskim, i już nie będzie innego. Ale dlaczego Gustaw na garnitur zakłada ortalionową kurtkę? Owszem, chodziło się wtedy w takich, ale ja nigdy nie miałem. Z drugiej strony – coś mi to mówi. W końcu doszedłem do tego, że Stuhr przyjaźnił się z Jackiem Popielem z polonistyki, który miał też jakieś zajęcia w szkole teatralnej – on chodził tak ubrany. Co do innych aktorów, mogłem tylko czuć wdzięczność, że przebrnęli przez taki tekst. Te długie zdania nie są dla nich walorem, natomiast jak już ktoś w tym zasmakuje i zacznie tym operować, to robi to bardzo dobrze. Wracając do wrażeń: póki Gustaw krążył i szukał laski dla Szweda, to było OK, ale potem, na końcu, Stuhr poprul jakimś Fellinim – chórek, kobiety śpiewają, zjawy na Plantach – to już mniej.

Jak powstał scenariusz do *Żółtego szalika*?

Telewizja Polska realizowała cykl *Święta polskie* i Zuza Łapicka zadzwoniła, żebym wybrał sobie święto, akurat Boże Narodzenie było wolne. Wziąłem też potem drugie „święto polskie" – walentynki – i tak powstała *Miłość w przejściu podziemnym*. Gdy brałem się do scenariusza *Szalika*, celem ułatwienia sobie pracy w pierwszym zdaniu zapisałem: „Mężczyzna o powierzchowności Janusza Gajosa". Sam to wymyśliłem, z nikim nie rozmawiałem, niczego wcześniej nikomu nie sugerowałem. Najpierw zdziwiłem się, że Janusz Morgenstern, który był wtedy szefem studia Perspektywa, sam będzie to reżyserował; pytam go, kto gra główną rolę, a on: „Jak to kto, przecież pan napisał!". Przyjemny był kontakt z Morgensternem, elegancki gentleman starej daty, mieliśmy kilka niezwykle ciekawych rozmów. Sukces filmu był jak najbardziej zasłużony, ale chyba Morgenstern żałował, że nie zrobił pełnej fabuły, tylko godzinny film telewizyjny. Ja przy scenariuszach miałem taką skłonność, że pisałem bardzo krótko, w *Żółtym szaliku* jest dodana scena, którą dyktowałem przez telefon. Jakoś nie czuję czasu filmu. Pamiętam też problem z aurą – akcja filmu dzieje się przed Bożym Narodzeniem, a nie było grama śniegu, ciągle na to czekali. Ostatecznie skończyło się na tym, że jacyś faceci przechadzają się z choinkami po letnim zgoła pejzażu.

Jak oceniasz efekt?

Mistrzowski. Gdyby film był anglojęzyczny, rola Janusza Gajosa byłaby oscarowa. W niczym nie gorsza, a moim zdaniem psychologicznie dużo prawdziwsza od roli Nicolasa Cage'a w *Zostawić Las Vegas*.

Wróćmy do twojego aktorstwa. U boku Pawła Kukiza, Bolca i Shazzy zagrałeś jedną z głównych ról w filmie Witolda Adamka *Wtorek* i nawet byłeś za nią chwalony... Jak to jest być aktorem filmowym w Polsce?

Po pierwsze, okazało się, że nie mam zielonego pojęcia o niczym, uleciały mi wszystkie słyszane wcześniej opowieści o tym upiornym czekaniu na planie. Po drugie, sam się nabrałem – wyobrażałem sobie, że podjadę na plan samochodem, pogadam i wrócę, jak do telewizji. A tu trzeba było od szóstej rano być gdzieś na wsi pod Warszawą i siedzieć tam do nocy. Nie miałem tekstu, nigdy nikt mnie o niczym nie informował, co będzie ani o czym mam gadać. Wszystko, co mówię w filmie, jest czystą improwizacją na planie.

Jechałeś na plan i nie wiedziałeś, jaka scena będzie kręcona?

Kompletnie nie wiedziałem. Było tak: teraz jest rozmowa z Shazzą, no to weźcie i coś spróbujcie.

Oglądałeś ten film ostatnio?

Ostatnio nie, ale widzę, że film chodzi w telewizji, zwłaszcza odkąd Paweł omal nie został prezydentem Polski. Poza tym wciąż poznają mnie ludzie na ulicy, a w zeszłym tygodniu kelner w knajpie, po dłuższym przypatrywaniu się, w końcu spytał: „*Wtorek*"? Tak więc dzieło jest wciąż żywe.

Na planie nie miałeś tremy?

Może trochę. Z drugiej strony, nigdy nie miałem zwierzęcego lęku przed kamerą, a z występami telewizyjnymi byłem otrzaskany. Mówię tak, jak piszę, i to pomagało. Za to uświadomiłem sobie, że nigdy bym w zawodzie aktorskim nic nie osiągnął, miałem jedną podstawową trudność: nawet kiedy grasz, tak jak ja we *Wtorku*, samego siebie, to musisz się jakoś wcielić, przestać widzieć tę sytuację z dystansu, ja miałem z tym problem. We *Wtorku* inne postacie mówią o mnie per „jebnięty malarz" i to trochę ratowało moją sztukę aktorską i pozwalało na więcej niezborności. Ale nie sądzę, żebym podobne doświadczenie kiedykolwiek powtórzył.

Rok temu odbyła się premiera filmu *Pod Mocnym Aniołem*, nakręconego na podstawie twojej książki.

Jak wiesz, mam w swojej filmotece bardzo małą liczbę filmów. Polskich reżyserów prawie żadnych, ale mam wszystkie filmy Wojciecha Smarzowskiego, począwszy od *Wesela*, które z miejsca oceniłem bardzo wysoko, nie mając oczywiście pojęcia, że nasze drogi kiedyś się przetną. W sprawie filmu zadzwonił do mnie Jacek Rzehak, producent. Sprzedałem prawa, co było o tyle zabawne, że potem dostałem pismo z Hollywood z zapytaniem o warunki, mam nadzieję, że to było czysto sondażowe... Od razu powiedziałem producentowi, że nie chcę mieć nic wspólnego ze scenariuszem, z wyboru reżysera byłem bardzo zadowolony. Potem też trochę zaniepokojony, że film będzie w pewnych partiach odczytywany jako film o mnie.

Film odszedł dość daleko od książki.

Mnie to akurat sprzyja. Ja jestem pisarzem, napisałem książkę, reżyser robi film według swoich, nie moich pomysłów. Nie byłem na planie ani razu, miałem tylko telefoniczny kontakt z Rzehakiem.

Wielu widzów uważa, że film epatuje fizjologią, że nie oddaje ducha książki.

Po pierwsze, historia i w książce, i w filmie zaczyna się bardzo późno: to nie jest opowieść krok po kroku o młodym człowieku, który popada w uzależnienie. Wszyscy bohaterowie są właściwie od dawna jedną nogą w grobie, sami bardzo zaawansowani alkoholicy. Smarzowski jest trochę moralistą w starym stylu, to znaczy pokazuje na ekranie makabrę. Chociaż przyznam, że zająknąłem się w jednym momencie: miałem scenę, w założeniu poetycką, w której drugoplanowa postać strzela pawia na mapę i strużki pawia wypływają przez przejścia graniczne, co napisałem z finezją, a w filmie postać wchodzi i na dzień dobry obrzyguje drugiego faceta. No więc zgoda, nie da się polemizować, że w filmie nie ma fizjologii.

nie dłużej, i była w potwornym szoku, widząc, jak ja poprawiam jakiś wywiad – zwolenniczka naturalnych metod komunikacji. Moja babka opowiadała, że… Ale na jakie pytanie ja odpowiadam?

obiety w twoim życiu. Dostałeś kiedyś kosza?

Na pewno, ale wypieram to z pamięci. Jeśli dostałem, to był to błąd w zaraniu. Przed. Złe typowanie. Ale żebym płakał, tęsknił, to raczej nie. I tych kobiet znowu tak wiele nie było!

le? Liczyłeś?

Chyba lata do grobu. Niestety, zestarzałem się, inne będą moje odpowiedzi. Gdybym był młodszy, tobym opowiadał z przytupem o liczbie kobiet, teraz mam przytup nogi samoistny. Parkinson mną przytupuje. Facet, który tak chodzi jak ja, zgarbiony i z laską w ręce, jest nieco mniej zalotny.

A czym kobiety cię zniechęcały?

Nieznajomością rzeczy. Albo kiedy wykrywałem jakiś rodzaj niedbałości. Tyrmand robił Bognie awantury o brudne uszy – rozumiem to. Ale co tu kryć: uwielbiam dotyk kobiecego ciała i szanowałem kobiety, które nie mitrężyły czasu. Teraz jestem taki, jak Miłosz pisał w wierszu *Uczciwe opisanie samego siebie nad szklanką whisky na lotnisku, dajmy na to w Minneapolis*:

Porozmawiajmy o kobietach. Słynąłeś kiedyś z podbojów, miałeś gębę kobieciarza. Jakie są sposoby na poderwanie kobiety?

To są – jak mówi Janusz Głowacki – lata ciężkiej pracy. Ale nie mam jednego systemu podrywania, zresztą takie coś po prostu nie istnieje. Gdyby istniało, to i tak do każdej kobiety trzeba by stosować osobny wariant. Wydaje mi się, że po prostu w moim towarzystwie kobiety czuły się dobrze. Poczucia bezpieczeństwa nie dawałem co prawda, przez nałóg, ale miałem poczucie humoru. Jak nawijałem, to też było dobrze i szczerze mówiąc, uwielbiałem to.

Flirtowanie?

Flirtowanie i dalszy ciąg, o ile był dalszy ciąg, a przeważnie był.

Zawsze ci tak dobrze szło?

Zawsze nie ma nigdy. Na przykład do dziś mogę daremnie tłumaczyć, że moi bohaterowie są nieprzygo-

Cały Watykan na głowie, 2005.

towani, niewyedukowani, śmieszni w ef[...]
opiewam klęskę męskiego rodu i nie m[...]
dlatego jest to brane na odwrót. Chyba [...]
wiedź triumfatora…

Jak wyglądały relacje damsko-męskie w twojej rodzinie?

Kobiety miały władzę i smakowały jej gor[...]
żyła z dziadkiem coraz biedniej, a moi sta[...]
mali ze sobą pierwszych dziesięć lat w W[...]
dlatego, że ojciec przyjeżdżał raz w tygodniu [...]
ten czas zmarnowali treningowo i potem [...]
we wspólne życie w Krakowie kompletnie n[...]
towani. Ten związek miał wysoką temperatu[...]
cisz się, potem się godzisz, ale za długo się [...]
nie ujedzie, trzeba dążyć do jakiego takiego [...]
Moi starzy ludźmi spokoju nie byli, spokój ic[...]
przerażał.

Jakie kobiety są w twoim typie? Mam wrażenie, że spektrum jest dość szerok[...]

Kładę tę złośliwość na karb naszych nieost[...]
uczuć… Oczywiście nie mam żadnych wym[...]
Ale lepiej, żeby była inteligentna, musi – jak [...]
Janusz Olejniczak – słyszeć muzykę. Nie musi [...]
wszystkich moich książek, ale coś powinna wie[...]
Teraz trochę się to zmieniło, dawniej przycho[...]
dziewczyny i mówiły: „Przeczytałam wszystkie [...]
książki", albo: „Przeczytałam wszystkie felieto[...]
teraz przychodzi dziewczyna i mówi z dumą: „[...]
czytałam wszystkie pana wywiady". Zmiana po[...]
leniowa. Inna sprawa, że sporo jest tych wywiad[...]
Była taka panna, która zatrzymała się tu dwa tygodi[...]

Moje uszy coraz mniej słyszą z rozmów, moje oczy słabną, ale dalej są nienasycone.

Widzę ich nogi w minispódniczkach, spodniach albo w powiewnych tkaninach,

Każdą podglądam osobno, ich tyłki i uda, zamyślony, kołysany marzeniami porno.

Stary lubieżny dziadu, pora tobie do grobu, nie na gry i zabawy młodości.

Nieprawda, robię to tylko, co zawsze robiłem, układając sceny tej ziemi z rozkazu erotycznej wyobraźni.

Nie pożądam tych właśnie stworzeń, pożądam wszystkiego, a one są jak znak ekstatycznego obcowania.

Nie moja wina, że jesteśmy tak ulepieni, w połowie z bezinteresownej kontemplacji i w połowie z apetytu.

Jeżeli po śmierci dostanę się do Nieba, musi tam być jak tutaj, tyle że pozbędę się tępych zmysłów i ociężałych kości.

Zmieniony w samo patrzenie, będę dalej pochłaniał proporcje ludzkiego ciała, kolor irysów, paryską ulicę w czerwcu o świcie, całą niepojętą, niepojętą mnogość widzialnych rzeczy.

Wielka konfesja. Nic dodać, nic ująć, może jedynie to, że statystycznie owszem: jesteśmy „ulepieni w połowie z bezinteresownej kontemplacji i w połowie z apetytu". Statystycznie tak, bo w rzeczywistości niektórzy są samym apetytem, a nawet samym głodem. Tak czy tak, na nic analizy. Na nic i psychoanalizy, chociaż na upartego można znaleźć jakiś psychoanalityczny prosty trop: moja matka miała siedemnaście lat, gdy mnie urodziła. I choćby nie wiem jak mądra była, nie nadawała się do roli matki. W dodatku akcja się toczy pod jednym dachem z moją babką, która wytrąciła matkę z roli matki. A babka z kolei była na moją matkę za stara. Wtedy gotowa jest misja podrywacza, ponieważ szuka on matki w każdej kobiecie. Choć w gruncie rzeczy nie jestem pewien, czy ja tej matki szukałem. Być może czasami wyglądało na to, że szukam pielęgniarki, opiekunki. Ale jak sobie myślę o głębokich związkach, to jest zupełnie osobna nasza historia, oprócz tego dwie, trzy kobiety – tyle. Poza tym było kilka naprawdę kuriozalnych.

A czym byś tłumaczył problem wielu mężczyzn – permanentne niepowodzenie u kobiet?

Po pierwsze, faceci w Polsce są straszni. Natomiast polskie dziewczyny są fantastyczne – umieją się ubrać, mają dystans, poczucie humoru, są zapobiegliwe. Za Peerelu niczego nie było, ale były pieluchy z tetry. Jak się odpowiednio pofarbowało tę tetrę, to dawało efekt niesymetrycznego wzoru, potem się szyło z tego bluzki. Ma bluzkę z tetry, a wygląda światowo. A naprzeciw stoi armia facetów, którzy są niedomyci, niedogoleni, nie wiadomo: broda czy co, dobrze, jak nie ma kompletu dżinsowego – sukces! Ręce, stopy zapuszczone. I tu jest nierównowaga, chociaż ostatnio trochę się zmieniło. Kiedyś typowy Polak śmierdział petami, dziś to pojedyncze przypadki. Są ci faceci

Nad Tybrem, 2005.

z banków, ta nowa klasa, oni wiedzą, że nic się nie stanie, jeśli przyjdzie w krawacie, poperfumuje się i odsunie damie krzesło w knajpie albo otworzy jej drzwi do samochodu. Dlatego o tym mówię, bo samochody dziś mają wszyscy, z wyjątkiem mnie. Przyczyna niepowodzeń jest też w niezrozumieniu oczekiwań kobiet, to naprawdę nie temat samochodowy i nie forsa. Nie żebym udawał młodego poetę i prosił od razu, żeby one zaabonowały pismo literackie, ale normalna, naturalna rozmowy – ze świeczką szukać. Nie należy kobiecie za dużo opowiadać o swoich poprzednich, szczerze mówiąc, w ogóle nie należy. Każda kobieta weźmie taką rozmowę za porównywanie. A to nie dotyczy tylko Polski. Z najwyższym zdumieniem czytałem autobiograficzną książkę Güntera Grassa, który miał trzy czy cztery żony i nie mógł sobie wyobrazić wigilii bez tych byłych żon. Tego się nie robi! I to pisarz głęboki, penetrujący świadomość swoich bohaterów, a w życiu – bezradny i upiorny. Kolejna zasada: żadnego pośpiechu. Chyba że masz sygnał, że ona, podobnie jak ty, lubi szybkość, ale to się zdarza rzadko. Nie jest za dobrze na pierwszą kolację zapomnieć portfela, to na pewno robi złe wrażenie.

Czy to prawda, co mówią czasem mężczyźni, że się boją niektórych kobiet?

No tak. To dotyczy kobiet pięknych: piosenkarek, aktorek. One są efektowne, cała Polska by się chciała z nimi przespać. Ale są też zarazem kompletnie samotne, bo mężczyźni nie mają odwagi. Boją się, że dostaną kosza.

No ale któreś z kolei „nie" oznacza definitywne „nie". To jest ciężkie, odciska się na następnych próbach kontaktu. Odciśnie się jedna klęska, odciśnie się druga i już nie. Kosz co jakiś czas jest nawet dobry i kształcący. Ale kosz nie może być zasadą. To chyba tyle rad. Wszystkiego nie mogę mówić.

Zacznijmy od tego, co cię ostatnio zirytowało: zapłaciłeś spory podatek za 2014 rok...

„Okrutny miesiąc kwiecień", jak zaczyna jeden ze swych wierszy wybitny amerykański poeta T.S. Eliot. Wątpię, żeby miał na myśli polski miesiąc podatkowy, ale kto wie. Specjalnie nigdy go nie lubiłem, nie tylko dlatego, że był jadowitym antysemitą.

À propos antysemityzmu: obejrzałeś niedawno na nowo *Pianistę.*

W pewnym sensie utwór antysemicki. Nie tak jak *Europa, Europa* Agnieszki Holland, ale też. Zupełna redukcja duchowości, redukcja człowieka do zwierzęcej postaci, która chce przetrwać polowanie. To nie jest jedynie oskarżenie katów, tu i ofiara wypada słabo. Niepodobna nie pomyśleć, że chce być ofiarą. Bohater *Europy, Europy* nie ma w ogóle żadnych poglądów. Wie jedynie, że jest kimś, na kogo się poluje, bo taki jest obiektywny stan rzeczy. Otóż nie ma takiego stanu, nie jest on obiektywny. W *Pianiście* najbardziej pozytywna postać, Niemiec, który uratował

bohatera, daje mu jedzenie i mówi: „Masz, Żydzie".
Rozumiesz? Nie ma takich warunków – wojna, nie
wojna, pokój, nie pokój – i nie ma takich powodów,
żeby do Żyda mówić: „Żydzie". Jak się tak mówi, to
znaczy, że zło jest znacznie głębiej. To jest, być może,
nadużycie interpretacyjne, ale coś mi tu nie gra.

Czy to nie absurdalne, że Roman Polański nie mógł osobiście odebrać
swojego Oscara, najważniejszej nagrody filmowej na świecie?

To nie ma nic do rzeczy, prawo jest prawem, zwłaszcza w Ameryce. Zajadły sędzia (na pewno protestant),
który wygrał mroczny pojedynek z własnymi popę-
dami i który miał go skazać, dawno nie żyje. Zmarł
ze dwadzieścia lat temu. Laska się zestarzała i na starość wybaczyła, matka laski odpuściła, wszyscy albo
dobrzy, albo martwi, ale nagród lepiej osobiście nie
odbierać…

A czy wiadomo, co robiła trzynastolatka w domu Jacka Nicholsona?
Tego nie rozumiem.

Ja rozumiem i boleję nad tym… Wracając do tematu.
No więc jest ten okrutny miesiąc kwiecień, trzeba
uregulować kasę. Mam pewien dyskomfort, bo ser-
cem byłem po stronie Platformy, zawsze głosowałem
na nieboszczkę Unię Wolności, ludzi „Tygodnika Powszechnego", na tę linię. I oni właśnie grzmocą za-
trważające podatki. Jeśli człowiek szanuje pieniądz, to
nawet jeśli jest oligarchą, milionerem i potentatem
finansowym, kwota kilkunastu czy kilkudziesięciu
tysięcy go skaleczy – a cóż dopiero biednego poetę.

Mam rozterkę z tego powodu, za PiS-u ten podatek był dla ludzi sztuki łaskawy.

Miałeś kiedyś ambicje polityczne?

Nigdy. Moim zdaniem pisarz nie powinien mieć nawet zbyt wyrazistych poglądów politycznych, najlepiej żadnych. I ja ich nie mam, w tym sensie, żebym mógł o sobie powiedzieć jestem liberałem czy konserwatystą. Wyraziste poglądy szkodzą pisarzowi, zarówno lewicowe, jak i prawicowe – te zwłaszcza. Pisarz zaangażowany prawicowo, czyli określony wybór partii i poglądów, zawsze grzęźnie. Na lewicy można mgliście: jestem za tym, żeby poprawić warunki ludzi pracy. Zgłosi się ktoś, kto jest przeciwko? Ewentualnie Korwin-Mikke. A prawica… Prawicowe poglądy są zbyt dokładne, nie zostawiają miejsca na literaturę. Jak w soczewce widać to w religii smoleńskiej.

O to chcę zapytać. Minęło pięć lat od wypadku samolotu pod Smoleńskiem. Jaki masz dziś do tego stosunek?

Im wyrazistsze przyczyny, tym – zdaniem wielu – ciemniej. Jasnych i przez to niekorzystnych wyników nigdy nie przyjmiemy do wiadomości. Dogrywka ma trwać tak długo, aż wygrają nasi. Lepsza wymyślona wielka tajemnica niż zwykłe, a w konsekwencjach zbrodnicze niechlujstwo. Tutaj badanie, ustalanie zawsze zrodzi jakieś wątpliwości, podobnie jak, nie przymierzając, śmierć generała Sikorskiego. Ludzie w naturze mają wiarę w UFO, w horoskopy, przepowiednie, teorie spiskowe – wtedy świat jest ciekawszy, zapełniony duchami, fantazmatami. W Stanach nie ma takiej możliwości, żeby Air Force One, który wozi prezydenta, za późno wyleciał, nie trafił na pas, miał kłopot z lądowaniem – wszystko jest tak dociągnięte, że właściwie zły traf jest wyeliminowany. W przypadku kwietniowej katastrofy były same złe trafy i na dobrą sprawę ktoś z tamtej strony mógł pomyśleć: zostawcie im to, jak się zabiją, to ich sprawa, jak nie, to nie. Pijany obserwator na lotnisku, niedoświadczeni piloci, spóźnienie, pogoda, naciski. I te idiotyczne pytania, czy brzoza była pancerna, czy niepancerna. Jak ktoś nie jest wykształcony na poziomie szkoły podstawowej i nie wie, że energia to jest masa razy prędkość i że tu tego rodzaju siły działały, to będzie się upierał. Samolot miał nikłą prędkość, ale straszliwą masę. Podobnie spory na temat umiejscowienia pomnika, że fachowcy nie powinni zabierać głosu, tylko lud patriotyczny, i najlepiej dać go na środku Krakowskiego Przedmieścia. Z przodu krzyż, rzecz jasna.

Nie czujesz się czasem bezradny, nie wkurza cię twój kraj?

Ja akurat mam to nieszczęście, że wciąż pamiętam PRL; musi moje pokolenie wymrzeć, żeby ocena była sprawiedliwsza. Ci, co pamiętają, zawsze będą mówić, że teraz jest o niebo lepiej. Sprawiedliwość, wolne gazety, wolna telewizja i tak dalej. Z drugiej strony fakt, że teraz jest lepiej niż za komuny, powoli przestaje znaczyć, minęło ćwierć wieku! Bardzo często piszę o biskupie Kościoła ewangelicko-augsburskiego Andrzeju Wantule, moim mistrzu, o ile mogę tak mówić o kimś, kto miał kilkadziesiąt lat, gdy ja miałem kilka. Jego ojciec, Jan Wantuła, był pisarzem ludowym, kronikarzem, pamiętnikarzem oraz autorem licznych broszur antyalkoholowych, miał szajbę na tym punkcie. A ponieważ był także człowiekiem z prowincji, zafascynowanym światem sztuki, często robił sobie wyprawy kulturalne do Krakowa – szedł na to, co grali w teatrze, trochę się zaprzyjaźnił z pisarzami i co tu kryć, płacił za to cenę. Nie mógł się czuć dobrze działacz antyalkoholowy na bankiecie po spektaklu, nie są to miejsca dla abstynentów, zwłaszcza wojujących. Bardzo lubił pisarza Władysława Orkana, który, jak wiadomo, był zupełnym alkoholikiem. Jan Wantuła był poza tym sadownikiem, hodował jabłka. Miał tych jabłoni niepoczytalną ilość i zawsze po zbiorach mu zostawało, a nie może zostać, bo się zmarnuje – marnotrawstwo dla ewangelika jest grzechem. I Wantuła z tego, co mu zostało, robił wino. Działacz antyalkoholowy był zarazem producentem wina jabłecznika. Nie dziwota, że Władysław Orkan go odwiedzał. Syn Jana, Andrzej Wantuła, opowiadał, że Orkan po obiedzie dostawał szklankę tego „jabcoka", wypijał i mówił: „Panie Janie, jeszcze szklaneczkę". Opróżniał te szklaneczki jedną po drugiej, aż było po meczu. Dlaczego o tym mówię? Biskup Wantuła był bardzo światłym człowiekiem: znał szereg języków obcych, cały świat objechał i jako biskup, i prywatnie, był duszpasterzem polowym Dywizjonu 303 koło Londynu. Stara maszyna do pisania, która tu stoi, to prezent od niego, ma zmienione polskie czcionki, żeby „ś" było. Przepisałem na niej *Spis cudzołożnic*. I ten Wantuła, który przychodził do dziadków, gdzie na przyjęciach zawsze prędzej czy później na politykę schodziło, już wtedy wiedział, czym jest Rosja; wtrącał: „Mówcie, co chcecie, jaki jest ten socjalizm, taki jest, ale w porównaniu z czasami przedwojennymi to jest gigantyczny postęp! Nie płaciło się u lekarza, była opieka socjalna, nie było bezrobocia, a ewangelicy są tak wychowani, że powinni pracować, nie kombinować". „Nic nam nie trzeba, jeśli jest praca i kawałek chleba" – jak głosi jeden z hymnów ewangelickich. Stary Jan Wantuła z kolei nienawidził lewicy i komunistów. Pisał pamiętnik, w którym, żeby się odemścić, słowo „Rosjanie" i wszelkie pochodne pisał zawsze z małej litery. Andrzej tymczasem wszelkie antybolszewickie fragmenty z dziennika usunął. Był też w niemieckim obozie koncentracyjnym, napisał potem trzy nowele, trzy portrety więźniów z Wisły, ukazały się jako broszurka *Z doliny cienia śmierci*. Andrzeja Wantułę z obozu, nawiasem mówiąc, wyciągnęła moja babka. Jeździła przekupywać mięsem, bo dziadkowie mieli rzeźnię w Wiśle, i babka, deprawując kolejne władze, doprowadziła do wyjścia Wantuły z obozu. Stąd przyjaźń naszych rodzin. Ale jaki był punkt wyjścia?

Co cię w Polsce wkurza.

Podatki są poza kategorią. Ze spraw pomniejszych wkurzyło mnie też zlikwidowanie księgarni Traffic. To był punkt niedzielny. Niedziela straszny dzień. A jak przychodziłeś do Trafficu, to tam zawsze był wtorek.

O komunizmie zacząłeś wcześniej.

W moich stronach komunizm, nie komunizm, jak ktoś był pracowity, to wychodził na swoje. Pamiętam podróże do Krakowa, gdzie ojciec studiował – jak się jechało przez Śląsk, to to była prowincja, ale syta, bogata. Pierwszą chałupę krytą słomą mijało się dopiero pod Krakowem. W moich stronach już tego nie było.

Nie masz takiego temperamentu, żeby się dorwać do władzy i za coś się odegrać?

Gdyby dali mi władzę, tobym po pierwsze wszystkich wypuścił, kryminalnych, niekryminalnych. Zaczynajcie jeszcze raz, Pilch wam daje szansę! Jak siebie znam, potem bym dał drugą szansę, potem szereg następnych szans, aż wreszcie ten kraj by się od mojego przywództwa uwolnił.

Żartujesz.

No, trochę. Oczywiście, kiedy czytam, że para młodych ludzi zabiła rodziców, to już nie jestem taki pewny. Przebrać się w peleryny i zacukać starych...

Jesteś za karą śmierci?

Jestem przeciw. Z jednej strony nie mam cienia wątpliwości, że dla niektórych ludzi byłoby znacznie lepiej, gdyby ich zakopać: im by było lepiej i nam by było lepiej. Z drugiej strony, z tego, że są zbrodniarze i zbrodnie zasługujące na karę śmierci, nie można wyciągać wniosków, że kara śmierci ma być na stałe zainstalowana w kodeksie, jest to niebezpieczne. Inaczej powiem: śmierć to jest za poważna rzecz, żeby ją powierzać państwu. Poza tym to, co zwolennicy kary śmierci mówią o jej walorze odstraszającym, jest zawracaniem głowy, nie ma takich badań. Morderstwo, moim zdaniem, popełnia się w dziewięćdziesięciu procentach ze strachu. Nie żebym tym mordercom współczuł, ale: wchodzisz do domu, masz nóż, wiesz, że staruszka ma kupę banknotów w jakiejś szafie, ale ona się budzi i zaczyna krzyczeć, wtedy ją uciszasz – ze strachu! Nie jestem obrońcą morderców, ale twierdzę, że morderstwa zaplanowane i wykonane z zimną krwią to jest strasznie mały margines.

À propos śmierci: niedawno umarł Günter Grass.

Ceniłeś go jako pisarza?

Blaszany bębenek to arcydzieło, ale mam wrażenie, że potem nigdy nie dorównał, żadna następna książka nie miała tego rozpędu, tego ciężaru, ale i tej lekkości.

Ale Nobla doczekał.

Wszyscy już dostali. Philip Roth jeszcze został.

I Kundera.

I Kundera. Jeden i drugi już po osiemdziesiątce.

Ale z Noblem bywa różnie. Saul Bellow dostał tę nagrodę w 1976 roku za wcześniejsze powieści, *Dar Humboldta* i *Herzoga*, potem coś tam pisał, ale takiej siły jak przed Noblem już nie miał. Dostajesz te gigantyczne pieniądze, zawsze powyżej miliona dolarów. Jest zapewniony spokój socjalny, więc *power* jest osłabiony, mówi się, że jest to nagroda starców. Pomyślana jako szczyt i przez wielu tak właśnie jest traktowana. Chociaż Czesław Miłosz niesłychane książki po Noblu napisał – tomy wierszy, tomy esejów. Drugi był Márquez, który też fantastyczne powieści pisał, Nobel pomógł. Ale raczej Nobel rozleniwiał, demoralizował. Można nie wstawać i od rana patrzeć w telewizor.

Wracając do systemu: nasze bezpieczeństwo było stykowe. Zatkać mordy do pierwszego, żeby żarcia starczyło, i nikomu nic więcej. Jednakowe szanse dla wszystkich, czyli jednakowa bida dla wszystkich. A teraz wolny wybór, kawy włoskiej czy ekspresu, w którym ją robisz. I ja z tego czerpię, bo stało się to na moich oczach. Byłem dużym chłopcem, jak walnęło. Wcześniej te puste sklepy… Widziałaś, ile mam portek – to jest moja niepodległa Polska.

Portek nie widziałam, ale widziałam kilkadziesiąt identycznych czarnych koszul.

Chodź, pokażę ci.

Patrz: tu są koszule noszone, tu jeszcze zapasowe, nierozpakowane. Głównie czarne.

Jakieś urozmaicenie kolorystyczne garderoby?

Tu są wielobarwne – czyli białe. A tu są portki. I tu, bo się nie mieszczą.

Nie przystopujesz z zakupami?

Teraz chyba tak. Jutro nic nie kupię. A tu mam szaliki, wyprasowane. Szaliki są również w pudełkach, tam. Sama widzisz. Ja nie mówię, że wszystko zawdzięczam wolnej Polsce, ale przy moim usposobieniu faceta zasiedziałego – bo nie ruszam się z miejsca – chcę, żeby to miejsce było komfortowe. Nie potrzebuję mieć co dwa lata nowego auta, gdyż nie jeżdżę. Nawet z włoskim ekspresem zastój – prawie nie piję kawy. Polityków cenię tych, którzy mnie czytają. Chyba Donald

Tusk powiedział, że czytał *Dziennik* i generalnie mnie czytuje.

Wierz mi, że większą sensacją było zdjęcie Anji Rubik ze *Spisem cudzołożnic* na poduszce.

Nie mam co do tego cienia wątpliwości. Nie powiem, że wolałbym zjeść kolację z Rubik niż z Tuskiem, ale jak mnie znasz…

…to wolałbyś.

…to bym wolał. Tusk też by wolał.

Marzyłeś kiedyś o wielkich pieniądzach? Pytam, bo znam cię tyle lat i jakoś nigdy się z tym, tak powszechnym jednak, pragnieniem nie zdradziłeś. Chciałbyś mieć na przykład duży dom, jacht?

O Jezu, nie strasz mnie. To mieszkanie moje potrzeby zaspokaja absolutnie. Dla dwóch osób jest już za ciasne. Ale też wiem, że ośmioosobowe rodziny żyją na dziesięciu metrach, i jak to mówią w Wiśle, jak jest zgoda, to i na cieśliczce – na siekierze – się wyśpią.

Nigdy nie miałeś żadnego marzenia związanego z rzeczami materialnymi? Auto – nie, bo nie prowadzisz, podróże – nie, bo nie podróżujesz… A może taki dom, jaki miał Hemingway na Kubie?

Ewentualnie. Ale ktoś by musiał go sprzątać regularnie i metodycznie. Wtedy – proszę bardzo.

To o czym marzysz?

W tej chwili podstawa moich marzeń jest negatywna: chcę dobrze mówić, chcę, żeby sytuacja się naprostowała, na tyle, na ile to możliwe.

Nie będziemy gadać tylko o mnie. Właśnie wróciłaś ze swojego kolejnego europejskiego tygodnia. Byłaś tylko w Wiedniu?

To nie ma być książka o mnie. Ale tak, byłam znowu w Wiedniu.

Zadaję pytanie o to, czy „tylko" w Wiedniu, bo za starej Polski nie było możliwości zadania takiego pytania. Raczej: „Jedziesz? Puścili cię?". Chyba nawet wśród fachowców tak nie było, że ktoś jechał do teatru, do opery czy na wystawę na zachód Europy. A jeśli było, to niewspółmiernie rzadsze. Jechało się albo coś zarobić, albo kogoś pilnować.

Nie jeździliście za granicę, na przykład na targi książki?

Wtedy nie, chyba że były jakieś targi w demoludach. Teraz, za wolnej Polski, oczywiście jeżdżą.

Czy hasło „zagranica" kojarzyło ci się z czymś niedostępnym?

Nie dawali paszportów, a środowisko literackie było generalnie – nie licząc tych lizusów i miernot, które popierały władzę dla kariery – jednak opozycyjne. Teatry, literatura – niby z dala od polityki, a w samym sednie polityki. Nawet najbardziej uprzywilejowani krytycy teatralni, jak Roman Szydłowski z „Trybuny Ludu" – nie pamiętam, żeby gdzieś za granicę jeździli. Poza tym nie wiem, czy znali języki, a chyba trzeba znać, żeby oglądać taki spektakl za granicą. Albo dobrze znać dramat. Byłaś na *Płatonowie* Czechowa?

Między innymi.

Lubię tę sztukę, chociaż jest przydługa. Typowy błąd debiutującego autora, który nie lubi się rozstawać z – świetnym zresztą w tym wypadku – materiałem.

Jest też film Nikity Michałkowa na podstawie *Płatonowa – Niedokończony utwór na pianolę*.

Może. Nie oglądałam.

Jest tam scena, w której Płatonow próbuje popełnić samobójstwo, skacze, a tam woda po kolana – świetne! Michałkow miał najlepsze początki: *Niewolnica miłości*, ten *Płatonow* i *Obłomow*. I co jeszcze widziałaś?

Kompletnie nieznaną mi wcześniej *Potęgę ciemności* Tołstoja.
Seria makabrycznych wydarzeń dziejących się na zatęchłej ruskiej wsi: otrucie męża, zakatowanie noworodka, zdrada. Ale najlepsze jest na końcu...

Przebudzenie religijne?

Skąd wiesz?

Nie wiem! Nie czytałem tej sztuki i nie byłem w teatrze, ale znam trochę Tołstoja. Zgadnąć, że na końcu jest przebudzenie religijne, nie jest trudno, *Zmartwychwstanie* też się tak kończy i szereg innych utworów. Dla niego to była poważna sprawa, im był starszy, tym poważniejsza. W ogóle druga połowa życia Tołstoja jest trochę trudniejsza i opornie poddaje się krytyce. Chyba najlepiej to zrobił Isaiah Berlin w małej książeczce *Jeż i lis. Esej o pojmowaniu historii u Tołstoja*. Zacytuję:

„Życie Tołstoja jest zazwyczaj przedstawiane jako składające się z dwóch wyraźnych części: najpierw mamy autora nieśmiertelnych arcydzieł, potem proroka indywidualnego i społecznego odrodzenia; najpierw jest arystokratyczny literat, trudny, trochę nieprzystępny, udręczony, genialny powieściopisarz, a następnie mędrzec: dogmatyczny, przewrotny, pełen przesady, ale wywierający znaczny wpływ, zwłaszcza we własnym kraju – światowa instytucja o niepodważalnym znaczeniu".

Berlin bardzo elegancko obchodzi się tu z ryzykownymi dziełami późnego Tołstoja. Książki takie, jak niedawno wydane *O życiu, Droga życia* czy *Spowiedź,* to są rzeczy, delikatnie mówiąc, trudne. Chodzi o zalecane przez geniusza połączenie się z ludem i wszelkie tego konsekwencje. Wszystko to czyni Tołstoja bardziej ludzkim, bo on niewątpliwie był geniuszem, ale geniuszem bez poczucia humoru (choć nie wiem, jak to możliwe) i opanowanym manią religijną. Nieprzypadkowo daję cytat i łatwo znajduję książeczkę Berlina o Tołstoju, ponieważ polskie wydanie, które posiadam, jest opatrzone na okładce fotografią Tołstoja grającego w szachy. Dla mnie osobiście miało to pewne znaczenie, na innej fotografii Tołstoja grającego w szachy oparłem swoje opowiadanie *Sobowtór zięcia Tołstoja;* hołd Tołstojowi złożyłem na tyle, na ile umiałem. Myślę, że *Anna Karenina* jest powieścią wszech czasów. Z Tołstojem raczej nie chciałbym się spotkać, bobym się bał. Był ponurym śledziennikiem. Uwielbiam anegdotę przytaczaną przez Czechowa, a spisaną przez Iwana Bunina. Otóż Czechow, bodajże w roku 1906, odwiedził chorego Tołstoja, który leżał w łóżku, powoli wracając do zdrowia, i rozmawiali o tym i owym. Gdy Czechow zaczął się żegnać, Tołstoj powiedział: „Pocałuj mnie na pożegnanie", a gdy pocałunek został dopełniony, wyszeptał Czechowowi do ucha: „Mimo wszystko Szekspir to bardzo marny pisarz, źle pisał, ale ty piszesz jeszcze gorzej". Nawiasem mówiąc, czy coś wiemy o wzroście Tołstoja?

Znam tylko portrety siedzące.

Skąd się bierze poczucie humoru? Pytam, bo moim zdaniem twoje poczucie humoru jest absolutnie wyjątkowe. Człowiek się tego uczy czy się z tym rodzi?

Poczucie humoru to jest umiejętność dostrzegania w rzeczywistości pewnych niezborności, szczelin, niewspółmierności. Są rzeczy, na które będzie reagował każdy, bo są śmieszne, i są takie, które tylko ty będziesz zauważać i próbować jakoś obiektywizować ich śmieszność – wtedy pracuje twoje poczucie humoru. Na przykład jakby biskup katolicki wszedł do kościoła i miał na bakier mitrę, to raczej wszyscy to zauważą i ich to rozśmieszy – zatem nie jest to wyznacznik szczególnego poczucia humoru, bo sytuacja jest śmieszna sama w sobie. Moim zdaniem poczucie humoru musi być uwarunkowane genetycznie, trochę przodkom musisz zawdzięczać, nie ma siły, ale sam musisz też nad tym pracować. Mój ojciec miał poczucie humoru wybitne, inne od wszystkich, widział rzeczy w sposób oryginalny. Inscenizował na przykład różne dowcipy domowe i wkładał w to wiele czasu.

Nie do końca była śmieszna fabuła, którą wymyślił, ale śmieszny był sposób, w jaki ją realizował. Na przykład wiadomo było, że sytuacja finansowa rodziny jest, jaka jest, on coś tam zarabiał, matka zarabiała, ale ogólnie nam się nie przelewało. Matka była łakoma na grosz, ojciec trochę roztargniony, tak że to, co wymyślił, pasowało psychologicznie: umocował stuzłotówkę w przedpokoju na podłodze na niedostrzegalnej nitce, schował się w pokoju i czekał, aż matka przyjdzie z pracy i zaatakuje banknot. Te sto złotych było tu najmniej śmieszne, ale dorosły facet z tą nitką w garści był śmieszny. Inny dowcip: ojciec potrafił nakładem wielkich sił zbudować rodzaj manekina i ubrać go w mój słynny wieczny kożuch. Dodawał czapkę i szalik, opierał konstrukcję na rurze od odkurzacza i starannie umieszczał to wszystko w matczynej szafie. Efekt dowcipu był taki, że matka otwierała szafę i w tym momencie padał na nią obcy chłop. To były wielkie przedsięwzięcia. Ale pamiętam też jakieś wtrącenia ojca, szybkie uwagi, dowcipy sytuacyjne.

Specyficzne poczucie humoru miał też mój dziadek ze strony matki, naczelnik Czyż, który był człowiekiem pełnym dobroci, otwartości, aż do granic frajerstwa, ale był bardzo spostrzegawczy. Również babka miała poczucie humoru, choć tu niejeden by ze mną dyskutował.

W pewnym stopniu ukształtowały mnie anegdoty o księżach starej daty, przeważnie już nieżyjących. Powtarzano je wtedy często i to napięcie pomiędzy służbą Panu Bogu a ludzką, przeważnie językową niezręcznością było mocne. Żałuję, że nie poznałem żadnego z tych księży, bo z opowieści wynika, że byli to wielcy narratorzy. Klasykiem był niewątpliwie ksiądz Lasota z Wieszcząt, dam przykład: ma długie przemówienie nad grobem i kończy je znienacka: „Bądź zdrów!". Odchodzi, po dwóch krokach orientuje się, że coś nie tak, wraca, nachyla się do grobu i dopowiada: „Bądź zdrów w niebie!". Kolejny pogrzeb, Lasota przemawia w obecności krewnych i sąsiadów nieboszczyka i w zapamiętaniu duszpasterskim mówi: „O śmierci okrutna! Czemuś ten dom nawiedziła, czemuś nie poszła do sąsiada!". Pierwszy raz te księżowskie anegdoty słyszałem w głębokim dzieciństwie. Potem byli kontynuatorzy, choć już nie tak natchnieni jak Lasota. Na przykład pewien wikary w Wiśle. Miał kiedyś prowadzić rezurekcję w Wielkanoc na cmentarzu, nabożeństwo wczas rano. Ludzie się zeszli, księdza nie ma. Kościelny pojechał po niego, dobudził go i przywiózł. Wikary wyszedł z auta, stanął przed ołtarzem i odezwał się w te słowa: „Zasnąłem jak Pan Jezus w grobie, gdyby nie pan kościelny Śliwka, tobym nie zmartwychwstał!". Po czym wyjął spod sutanny cukierka na wzmocnienie i wpierniczył na oczach zebranych wiernych. Biskup Wantuła opowiadał takie historie często, brat matki, ksiądz, również. Ci opowiadacze dochodzili do mistrzostwa, a ci, którzy mieli się śmiać, śmiali się na długo, zanim padła puenta. To była dla mnie ważna lekcja komizmu. Potem zawsze lubiłem podobną tonację, na przykład *Klucz niebieski* Leszka Kołakowskiego. A także literaturę, która z pewną swobodą podchodzi do kwestii wiary, diabła,

Pana Boga. Jest taka świetna sztuka w tonacji plebej-
skiej, którą również bardzo lubię: *Igraszki z diabłem*
Jana Drdy. Wszyscy mówią tam o Bogu i diable jako
o bytach bliskich, razem z nimi żyjemy bez mała.

Najbardziej śmiałeś się w trakcie lektury...

...*Ucieczki na południe* Sławomira Mrożka. Ale wcześniej czytałem w koło Edmunda Niziurskiego. On
umiał mistrzowsko zakręcić zdaniem, bardzo mnie
to śmieszyło. Zresztą do dziś jednym z nielicznych
wierszy, które znam na pamięć i mogę wyrecytować
w dowolnej chwili, jest poemat Wątłusza ze *Spo-
sobu na Alcybiadesa*: „Zachodzi słońce nad wędzarnią
krwawo"... Świetny był też Adam Bahdaj.

A filmy?

Flip i Flap – uwielbiałem! Potem doszedł jeszcze ten
z nieruchomą twarzą parkinsonika, ten od wynalaz-
ków technicznych, Buster Keaton.

Przyjaźniłeś się kiedyś z kimś pozbawionym poczucia humoru?

Nigdy. Chociaż to może być inaczej wyskalowane: na
przykład ktoś nie ma poczucia humoru, nigdy sam
nie podejmie żadnej akcji, ale prawidłowo reaguje na
twoje dowcipy, rozumie, co jest śmieszne. Są oczywiście i tacy, którzy sami nie mówią, ale też nic nie
rozumieją, wtedy jest tragedia. Dodam, że w życiu
znacznie częściej miałem do czynienia z ludźmi po-
zbawionymi poczucia humoru. Wydaje mi się, że im
wyżej idziesz w sensie wykształcenia, tym więcej ludzi
z poczuciem humoru; w szkole średniej jest ich więcej

niż w podstawowej, na studiach więcej niż w średniej. Wśród moich bliskich znajomych bardzo duże poczucie humoru ma Bronek Maj, nawiasem mówiąc, zmarnował się jako niedoszły aktor, byłby świetny w rolach charakterystycznych. Skąd mu się to wzięło? Na pewno było przyrodzone i od dawna w nim siedziało, ale w tym przypadku myślę, że poczucie humoru działało też obronnie, chroniło przed światem. Bronek do dziś jest małym, drobnym chłopcem, typ urody dziecinnej, mógł mieć z tym kłopot, gdy był młodziutki. Kiedyś, w czasie studiów, na Błoniach krakowskich trochę chłopcy nadużyli i padli. Padł wśród nich Bronek Maj, który na swoje nieszczęście, a może szczęście, miał na sobie krótkie szorty. Przyjechała milicja, wszystkich zawieźli na izbę wytrzeźwień, a Bronia na pediatrię. I dziw się potem, że ma poczucie humoru!

À propos, dawno nie słyszałam, żebyś się długo i głośno śmiał.

Wystarczy, że ty się zarykujesz, ja się będę śmiał na końcu.

Z Eweliną Pietrowiak, 2002.

EPILOG

Kiedy zaczynaliśmy rozmawiać w marcu, twoim marzeniem było odzyskanie głosu. Dziś, w sierpniu, wygląda na to, że marzenie się spełniło.

Odzyskałem głos w Niedzielę Wielkanocną w Wiśle. Gdzieś koło południa poczułem, że mówię normalnie. Matka, która ma problemy ze słuchem, chyba nawet początkowo nie bardzo zauważyła tę zmianę.

Poczułeś jakąś zmianę w gardle czy usłyszałeś swój dawny głos?

Nie potrafię odpowiedzieć. Poza tym nie stało się to od razu. Na początku coś się odblokowało, potem stopniowo było coraz lepiej, rozkręcałem się, tak jakby stopniowo odpadały jakieś płaty. Teraz, po kilku miesiącach odzyskiwania i oczyszczania głosu, mówię naprawdę nieźle.

Parkinson jest chorobą, która nie idzie symetrycznie. Czasem daje złudzenie, że można się tu i ówdzie schronić, przez co jest groźna, ale też być może właśnie przez to trwa dłużej.

Wymyśliłem pewien argument teologiczny, który przekonuje, i być może w tym miejscu należy to powiedzieć. Otóż gdyby nie choroba, to najprawdopodobniej, a może nawet – dajmy sobie spokój z prawdopodobieństwem, bo na pewno – ja dalej byłbym w szponach nałogu. Co pewien czas bym się w to zanurzał, tak jak się zanurzałem, z coraz gorszymi skutkami. Prawdopodobieństwo, że prędzej czy później znaleziono by mnie martwego, było wielkie. Pan Bóg, jeśli oddać sprawę w Jego ręce, przyglądał się mojemu przypadkowi i mówił tak: „Jedyną rzeczą, która może mu trochę pomóc, jest parkinson. Bo na parkinsona będzie chorował dłużej".

Marzec–sierpień 2015

ŹRÓDŁA FOTOGRAFII

SPIS ROZDZIAŁÓW

5   Trzydzieści dziewięć zaostrzonych ołówków

67   Jak siedzę, to nogi mi nie chodzą

93   Praczasy

147   Diabeł przychodzi w czwartek

163   Kraków – Warszawa

199   Zawsze nie ma nigdy

253   Epilog

258   Źródła fotografii

Copyright © by Jerzy Pilch & Ewelina Pietrowiak
Copyright © for this edition by Wydawnictwo Literackie, 2016

Wydanie pierwsze

Opieka redakcyjna
Anita Kasperek

Redakcja
Justyna Chmielewska

Korekta
Henryka Salawa, Kamil Bogusiewicz, Małgorzata Wójcik

Zdjęcie na okładce
Jerzy Pilch w obiektywie swojego ojca, Władysława.
Lodziarnia w Kosakowie, koło Gdyni, 1961.

Opracowanie graficzne
Marek Pawłowski

Książkę wydrukowano na papierze Creamy 80 g vol. 1,6
dystrybuowanym przez ZiNG

Printed in Poland
Wydawnictwo Literackie Sp. z o.o., 2016
ul. Długa 1, 31-147 Kraków
bezpłatna linia telefoniczna: 800 42 10 40
księgarnia internetowa: www.wydawnictwoliterackie.pl
e-mail: ksiegarnia@wydawnictwoliterackie.pl
fax: (+48-12) 430 00 96
tel.: (+48-12) 619 27 70
Skład i łamanie: Scriptorium „TEXTURA”
Druk i oprawa: Drukarnia Zapolex, Toruń

ISBN 978-83-08-06082-7